P9-APB-810

DU MÊME AUTEUR

Aux Éditions Gallimard

UNE VIE À COUCHER DEHORS, 2009 (Folio n° 5142), Goncourt de la nouvelle 2009 et prix de la Nouvelle de l'Académie française 2009

DANS LES FORÊTS DE SIBÉRIE, 2012 (Folio n° 5586), prix Médicis essai 2011

S'ABANDONNER À VIVRE, 2014 (Folio n° 5948)

SUR LES CHEMINS NOIRS, 2016 (Folio n° 6597)

Livres illustrés

HAUTE TENSION : DES CHASSEURS ALPINS EN AFGHANISTAN, avec les photographies de Thomas Goisque et les illustrations de Bertrand de Miollis, 2009 (Hors série Connaissance)

SIBÉRIE MA CHÉRIE, avec les photographies de Thomas Goisque et les illustrations de Bertrand de Miollis et d'Olivier Desvaux, 2012

BEREZINA, avec les photographies de Thomas Goisque, 2016

Chez d'autres éditeurs

ON A ROULÉ SUR LA TERRE, avec Alexandre Poussin, *Éditions Robert Laffont*, 1996 (Pocket)

LA MARCHE DANS LE CIEL, avec Alexandre Poussin, *Éditions Robert Laffont*, 1998 (Pocket)

LA CHEVAUCHÉE DES STEPPES, avec Priscilla Telmon, *Éditions Robert Laffont*, 2001 (Pocket)

L'AXE DU LOUP, de la Sibérie à l'Inde sur les pas des évadés du goulag, *Éditions Robert Laffont*, 2004 (Pocket)

PETIT TRAITÉ SUR L'IMMENSITÉ DU MONDE, *Éditions des Équateurs*, 2005 (Pocket)

ÉLOGE DE L'ÉNERGIE VAGABONDE, *Éditions des Équateurs*, 2007 (Pocket)

APHORISMES SOUS LA LUNE ET AUTRES PENSÉES SAUVAGES, *Éditions des Équateurs*, 2008 (Pocket).

VÉRIFICATION DE LA PORTE OPPOSÉE, *Éditions Phébus*, 2010 (Libretto n° 312)

Suite des œuvres de Sylvain Tesson en fin de volume

LA PANTHÈRE DES NEIGES

SYLVAIN TESSON

LA PANTHÈRE DES NEIGES

GALLIMARD

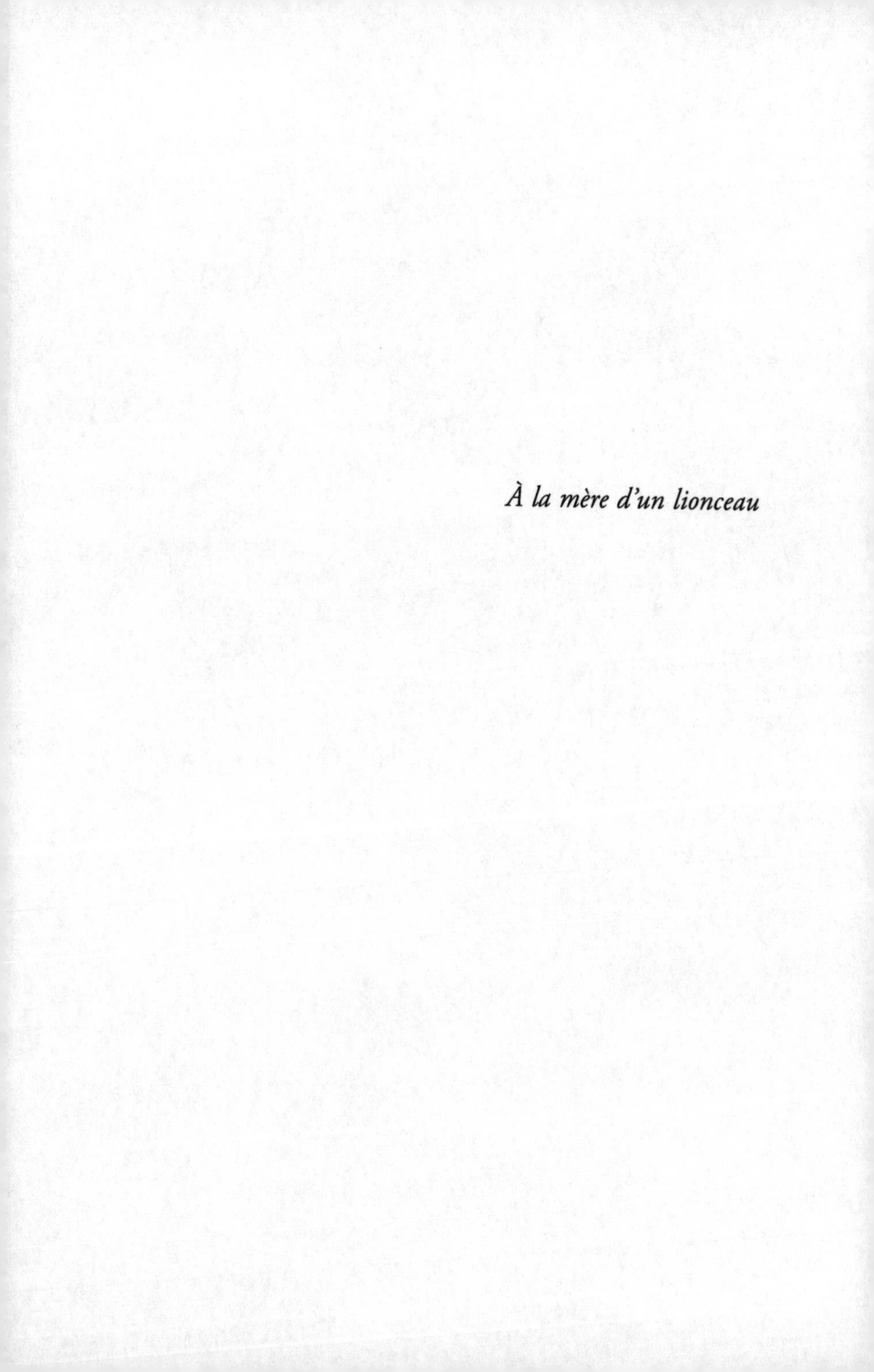

À la mère d'un lionceau

« Toutes les femelles sont moins courageuses que les mâles, sauf l'ourse et la panthère : les femelles de ces espèces semblent être plus courageuses. »

Aristote,
Histoire des animaux, IX

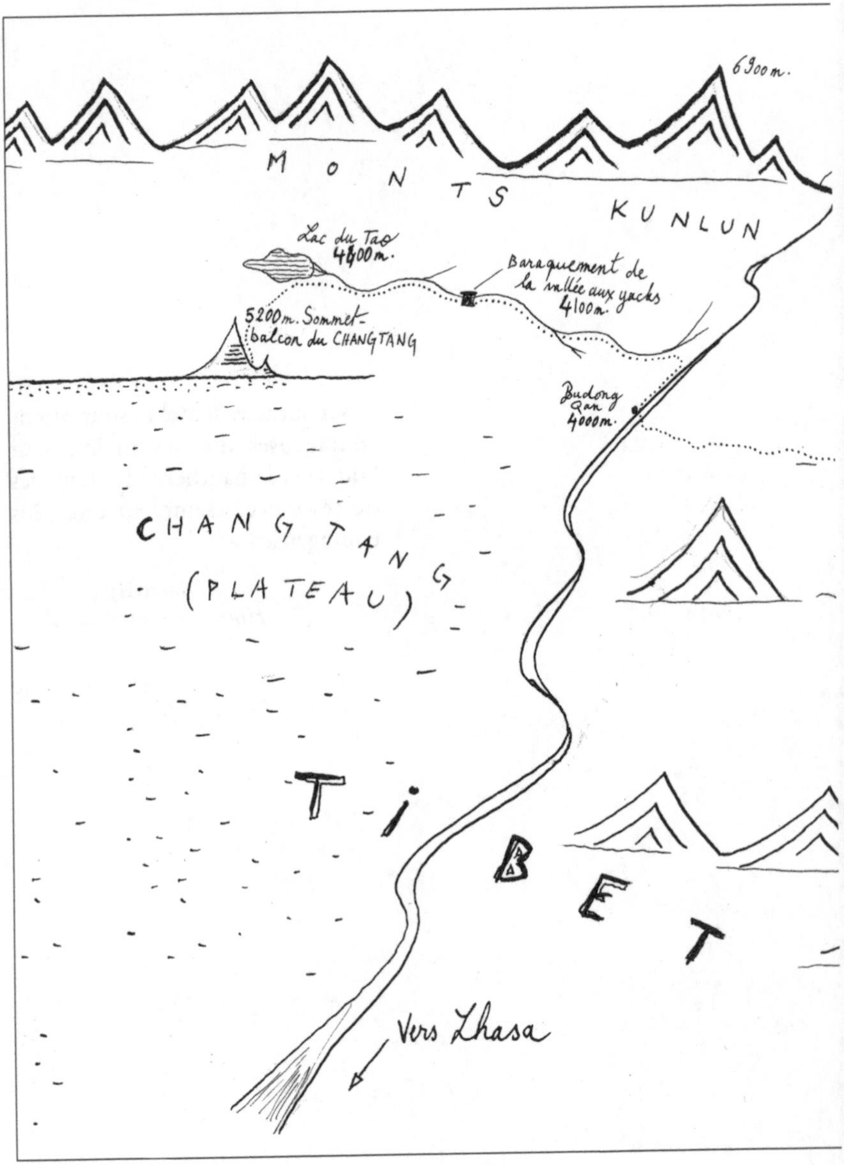

6900 m.

MONTS KUNLUN

Lac du Tao
4400m.

Baraquement de
la vallée aux yacks
4100m.

5200m. Sommet-
balcon du CHANGTANG

Budong
Qan
4000m.

CHANGTANG
(PLATEAU)

TIBET

Vers Lhasa

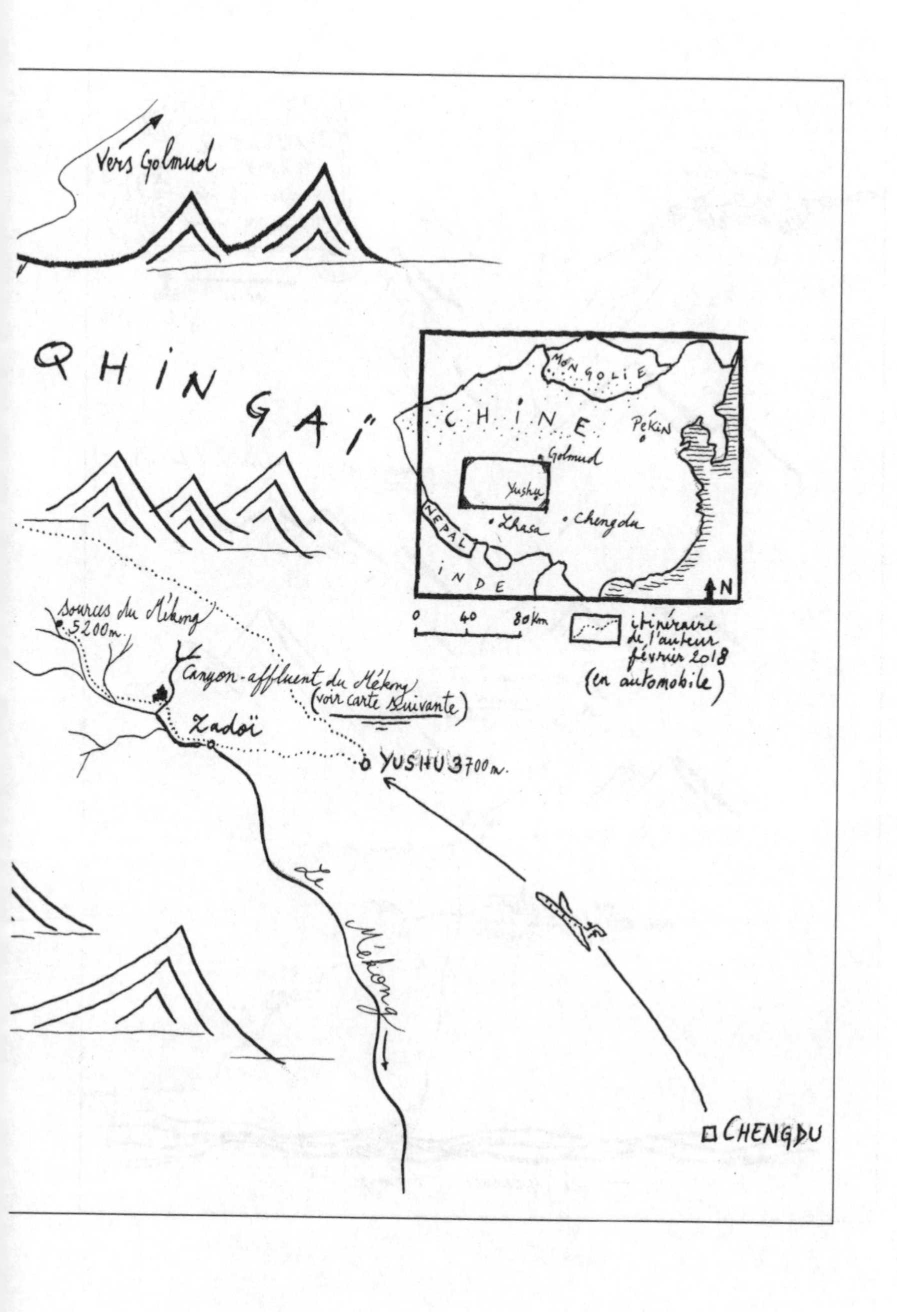
Vers Golmud
QHINGAÏ
MONGOLIE
CHINE
Pékin
Golmud
Yushu
Lhasa
Chengdu
NEPAL
INDE
N
0 40 80 Km
itinéraire de l'auteur février 2018 (en automobile)
sources du Mékong 5200m
Canyon-affluent du Mékong (voir carte suivante)
Zadoï
YUSHU 3700 m.
Le Mékong
CHENGDU

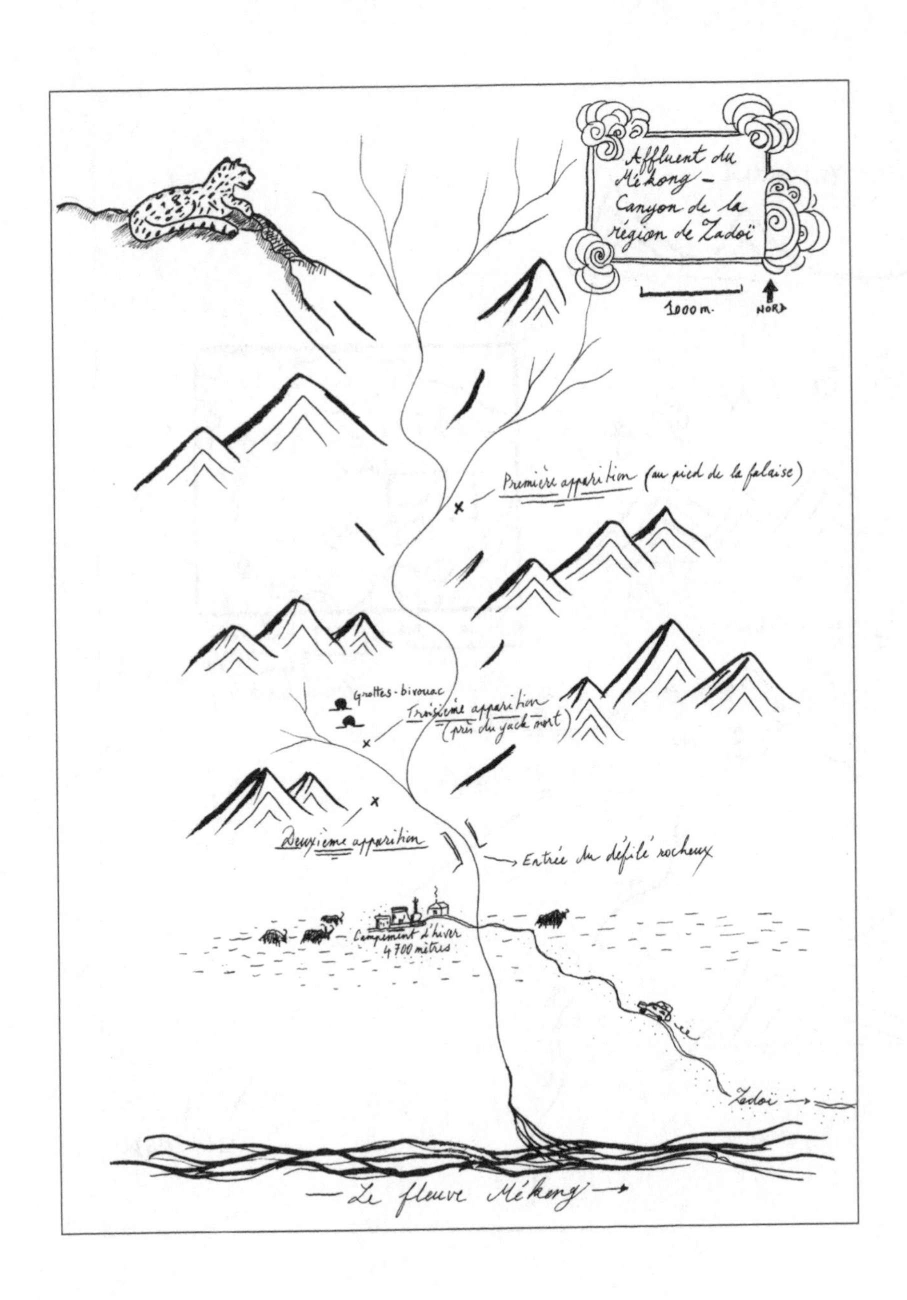
Affluent du Mékong – Canyon de la région de Zadoï
1000 m.
NORD
Première apparition (au pied de la falaise)
Grottes-bivouac
Troisième apparition (près du yack mort)
Deuxième apparition
Entrée du défilé rocheux
Campement d'hiver 4 700 mètres
Zadoï
Le fleuve Mékong

AVANT-PROPOS

Je l'avais rencontré un jour de Pâques, après une projection de son film sur le loup d'Abyssinie. Il m'avait parlé de l'insaisissabilité des bêtes et de cette vertu suprême : la patience. Il m'avait raconté sa vie de photographe animalier et détaillé les techniques de l'affût. C'était un art fragile et raffiné consistant à se camoufler dans la nature pour attendre une bête dont rien ne garantissait la venue. On avait de fortes chances de rentrer bredouille. Cette acceptation de l'incertitude me paraissait très noble – par là même antimoderne.

Moi qui aimais courir les routes et les estrades, accepterais-je de passer des heures, immobile et silencieux ?

Tapi dans les orties, j'obéissais à Munier : pas un geste, pas un bruit. Je pouvais respirer, seule vulgarité autorisée. J'avais pris dans les villes l'habitude de dégoiser à tout propos. Le plus difficile consistait à se taire. Les cigares étaient proscrits. « On fumera plus tard, sur un talus de la rivière, ce sera nuit et brouillard ! » avait dit Munier. La perspective de griller un havane au bord de la Moselle faisait supporter la position du guetteur couché.

Les oiseaux dans la charmille striaient l'air du soir. La vie explosait. Les oiseaux ne troublaient pas le génie des lieux. Appartenant à ce monde, ils n'en brisaient pas l'ordre. C'était la beauté. La rivière coulait à cent mètres. Des escadres de libellules volaient au-dessus de la surface, carnassières. Sur la rive ouest, un faucon hobereau menait des razzias. Vol hiératique, précis, mortel – un Stuka.

Ce n'était pas le moment de se laisser distraire : deux adultes sortaient du terrier.

Jusqu'à la nuit ce fut le mélange de la grâce, de la drôlerie et de l'autorité. Les deux blaireaux donnèrent-ils un signal ? Quatre têtes apparurent et des ombres fusèrent hors des galeries. Les jeux du crépuscule avaient commencé. Nous étions postés à dix mètres et les bêtes ne nous repérèrent pas. Les jeunes blaireaux se battaient, escaladaient la levée de terre, roulaient dans le fossé, se mordaient la nuque et recevaient la torgnole d'un adulte qui remettait de la tenue dans le cirque du soir. Les fourrures noires rayées de trois lanières d'ivoire disparaissaient entre les feuillages, surgissaient plus loin. Les bêtes se préparaient à fureter par les champs et par les berges. Elles s'échauffaient avant la nuit.

Parfois, l'un des blaireaux approchait de notre position et allongeait son long profil qu'un mouvement de la tête recadrait de pleine face. Les bandes sombres où se logeaient les yeux dessinaient deux coulées mélancoliques. Il avançait encore, on distinguait les pattes plantigrades, puissantes, ramenées en dedans. Les griffes laissaient dans le sol de France ces empreintes de petits ours qu'une certaine race d'hommes assez malhabile dans le jugement d'elle-même identifiait comme traces de « nuisibles ».

C'était la première fois que je me tenais si calmement posté, dans l'espérance d'une rencontre. Je ne me reconnaissais pas ! Jusqu'alors, j'avais couru de la Yakoutie à la Seine-et-Oise, obéissant à trois principes :

L'imprévu ne venant jamais à soi, il faut le traquer partout.

Le mouvement féconde l'inspiration.

L'ennui court moins vite qu'un homme pressé.

Bref, je me persuadais d'un rapport entre la distance et l'intérêt des événements. Je tenais l'immobilité pour une répétition générale de la mort. Par déférence envers ma mère reposant en son caveau des bords de Seine, je vadrouillais avec frénésie – le samedi en montagne, le dimanche aux bains de mer – sans porter attention à ce qui se passait autour de moi. Comment des milliers de kilomètres de voyage vous conduisent-ils un jour le menton dans les herbes, sur le bord d'un fossé ?

Près de moi, Vincent Munier prenait les blaireaux en photo. Sa masse de muscles dissimulée par la tenue de camouflage se confondait avec la végétation mais son profil se découpait encore dans la faible lumière. Il portait un visage à bords francs et à longues arêtes, sculpté pour donner des ordres, un nez qui procurait aux Asiatiques des sujets de moquerie, un menton sculptural et un regard très doux. Un bon géant.

Il m'avait parlé de son enfance, son père partant avec lui se terrer sous un épicéa pour assister au lever du roi, c'est-à-dire du grand tétras ; le père apprenant au fils ce que promettait le silence ; le fils découvrant la valeur des nuits sur la terre gelée ; le père expliquant que l'apparition d'une bête représente la plus belle récompense que la vie puisse offrir à l'amour de la vie ; le fils commençant à tenir ses affûts, décelant tout seul les secrets de l'organisation du monde, apprenant à cadrer l'envol d'un engoulevent ; le père découvrant les photographies artistiques du fils. Le Munier de quarante ans, à mes côtés, était né dans la nuit des Vosges. Il était devenu le plus grand photographe animalier de son temps. Ses images de loups, d'ours et de grues impeccables se vendaient à New York.

« Tesson, je vais t'emmener voir des blaireaux dans la forêt », m'avait-il dit et j'avais accepté car personne ne refuse l'invitation d'un artiste en son atelier. Il ne savait pas que Tesson signifiait *blaireau* en vieux français. On employait encore l'expression dans les patois de l'ouest de la France et de la Picardie. « Tesson » était né de la déformation du *taxos* latin d'où provenaient les mots « taxinomie », science de la classification des animaux, et « taxidermie », art d'empailler les bêtes (l'homme affectionnant d'écorcher ce qu'il vient de nommer). Sur les cartes d'état-major de la France, on trouvait des « tessonnières », noms de lieux-dits champêtres qui portaient le souvenir d'holocaustes. Car le blaireau était haï dans les campagnes et irrépressiblement détruit. On l'accusait de fouir le sol, de percer les haies. On l'enfumait, on le crevait. Méritait-il l'acharnement des hommes ? C'était un être taciturne, une bête de la nuit et de la solitude. Il demandait une vie dissimulée, régnait sur l'ombre, ne souffrait pas les visites. Il savait que la paix se défend. Il sortait de ses retraites à la nuit pour rentrer à l'aube. Comment l'homme aurait-il supporté l'existence d'un totem de la discrétion érigeant la distance en vertu et se faisant un honneur du silence ? Les fiches zoologiques décrivaient le blaireau « monogame et sédentaire ». L'étymologie me liait à l'animal mais je ne m'étais pas conformé à sa nature.

La nuit tomba, les bêtes se distribuèrent dans les fourrés, il y eut des froissements. Munier devait s'être aperçu de ma joie. Je tenais ces heures pour l'une des plus belles soirées de ma vie. Je venais de rencontrer une troupe d'êtres vivants parfaitement souverains. Eux ne se débattaient pas pour échapper à leur condition. Nous revînmes à la route par la berge. Dans ma poche, j'avais écrasé les cigares.

— Il y a une bête au Tibet que je poursuis depuis six ans, dit Munier. Elle vit sur les plateaux. Il faut de longues approches pour l'apercevoir. J'y retourne cet hiver, viens avec moi.

— Qui est-ce ?

— La panthère des neiges, dit-il.

— Je pensais qu'elle avait disparu, dis-je.

— C'est ce qu'elle fait croire.

PREMIÈRE PARTIE

L'APPROCHE

Le motif

Comme les monitrices tyroliennes, la panthère des neiges fait l'amour dans des paysages blancs. Au mois de février, elle entre en rut. Vêtue de fourrures, elle vit dans le cristal. Les mâles se battent, les femelles s'offrent, les couples s'appellent. Munier m'avait prévenu : si l'on voulait avoir une chance de l'apercevoir, il fallait la chercher en plein hiver, à quatre ou cinq mille mètres d'altitude. J'essaierai de compenser les désagréments de l'hiver par les joies de l'apparition. Bernadette Soubirous avait usé de cette technique dans la grotte de Lourdes. Sans doute la petite bergère avait-elle eu froid aux genoux mais le spectacle d'une vierge en son halo devait valoir toutes les peines.

« Panthère », le nom tintait comme une parure. Rien ne garantissait d'en rencontrer une. L'affût est un pari : on part vers les bêtes, on risque l'échec. Certaines personnes ne s'en formalisent pas et trouvent plaisir dans l'attente. Pour cela, il faut posséder un esprit philosophique porté à l'espérance. Hélas, je n'étais pas de ce genre. Moi, je voulais voir la bête même si, par correction, je n'avouais pas mes impatiences à Munier.

Les panthères des neiges étaient braconnées partout. Raison de plus pour faire le voyage. On se porterait au chevet d'un être blessé.

Munier m'avait montré les photographies de ses séjours précédents. La bête mariait la puissance et la grâce. Les reflets électrisaient son pelage, ses pattes s'élargissaient en soucoupes, la queue surdimensionnée servait de balancier. Elle s'était adaptée pour peupler des endroits invivables et grimper les falaises. C'était l'esprit de la montagne descendu en visite sur la Terre, une vieille occupante que la rage humaine avait fait refluer dans les périphéries.

J'associais quelqu'un à l'animal : une femme qui ne viendrait plus nulle part avec moi. C'était une fille des bois, reine des sources, amie des bêtes. Je l'avais aimée, je l'avais perdue. Par une vue de l'esprit infantile et inutile, j'associais son souvenir à un animal inaccessible. Syndrome banal : un être vous manque, le monde prend sa forme. Si je rencontrais l'animal, je lui dirais plus tard que c'était elle que j'avais croisée un jour d'hiver sur le plateau blanc. C'était de la pensée magique. J'avais peur de paraître ridicule. Pour l'instant, je n'en disais pas un mot à mes amis. J'y pensais sans cesse.

Nous étions au début de février. Pour alléger les bagages, je commis l'erreur de revêtir tout mon équipement de haute montagne. Je montai dans le train de banlieue parisien en direction de l'aéroport, vêtu de ma veste arctique et de mes bottes de l'armée chinoise modèle « longue marche ». Dans le wagon occupé par de beaux chevaliers peuls à la triste figure et par un Moldovalaque qui s'en prenait à Brahms sur un accordéon, c'était moi qu'on regarda car mes habits juraient. L'exotisme s'était déplacé.

On s'envola. Définition du progrès (donc de la tristesse) : couvrir en dix heures ce que Marco Polo avait mis quatre ans à parcourir. Très mondain, Munier fit les présentations dans le ciel. Je saluai les deux amis avec qui j'allais passer un mois : Marie, la fille au corps souple, fiancée de Munier, cinéaste animalière éprise de vie sauvage et de sports rapides, et Léo aux yeux hypermétropes, à la coiffure désordonnée, à la pensée profonde, donc mutique. Marie avait fait un film sur le loup, un autre sur le lynx, bêtes en sursis. Elle allait tourner un nouveau film sur ses deux amours : les panthères et Munier. Deux ans auparavant, Léo avait interrompu sa thèse de philosophie pour devenir aide de camp de Munier. Au Tibet, Munier avait besoin de saute-ruisseaux pour l'installation des affûts, le réglage de ses appareils et les longues soirées. Ne pouvant pas porter des charges à cause d'une colonne vertébrale fragile, n'ayant pas la moindre compétence photographique ni aucune habitude de la piste animale, j'ignorais quel serait mon emploi. Charge à moi de ne retarder personne et de ne pas éternuer si la panthère se montrait. On m'offrait le Tibet sur un plateau. Je partais chercher une bête invisible avec le plus beau des artistes, une louve-humaine aux yeux lapis et un philosophe réfléchi.

— La « bande des quatre », c'est nous, dis-je comme l'avion se posait en Chine.

Au moins, je fournirais les calembours.

Le centre

Nous avions atterri à l'extrême orient du Tibet dans la province administrative du Qhingai. La bourgade de Yushu perchait ses travées grises à 3 600 mètres d'altitude. En 2010, un tremblement de terre l'avait rasée.

En moins de dix ans la monstrueuse énergie chinoise avait remblayé les gravats et presque tout relevé. Des lampadaires s'alignaient au cordeau éclairant un quadrillage de béton parfaitement lissé. Les voitures circulaient lentement, silencieuses, sur les allées du damier. La ville-caserne préfigurait l'avenir du chantier mondial permanent.

Il fallut trois jours pour traverser le Tibet oriental en automobile. Nous visions le sud des Kunlun en bordure du plateau du Chang Tang. Munier y connaissait des steppes giboyeuses.

— On rejoindra l'axe routier Golmud-Lhasa, m'avait-il dit dans l'avion, on gagnera le bourg de Budong Qan, le long de la voie ferrée.

— Et ensuite ?

— On s'enfoncera vers l'ouest au pied des Kunlun, jusqu'à la "vallée des yacks".

— C'est son vrai nom ?

— Celui que je lui donne.

Je prenais des notes dans mes calepins noirs. Munier me fit promettre, si j'écrivais un livre, de ne pas donner l'appellation exacte des lieux. Ils avaient leurs secrets. Si nous les révélions, des chasseurs viendraient les vider. Nous prîmes l'habitude de désigner les endroits par les termes d'une géographie poétique, personnelle, suffisamment inventée pour brouiller les pistes mais assez imagée pour demeurer précise : « vallée des loups, lac du Tao, grotte du mouflon ». Désormais le Tibet dessinerait en moi la carte des souvenirs, moins précise que les Atlas, appelant davantage aux rêves, préservant le havre des bêtes.

Nous roulâmes au nord-ouest à travers des marches coupées de massifs. Les cols se succédaient, bosses pelées par les troupeaux, à 5 000 mètres d'altitude. L'hiver imbriquait de rares taches blanches sur des à-plats où le vent s'acharnait. Les névés adoucissaient à peine les affleurements.

Sans doute des yeux fauves nous scrutaient-ils depuis les crêtes, mais en voiture, on ne contemple rien d'autre que son reflet dans la vitre. Je ne vis pas un loup et il faisait grand vent.

L'air sentait le métal, sa dureté n'invitait à rien. Ni à la flânerie, ni au retour.

Le gouvernement chinois avait réalisé son vieux projet de contrôle du Tibet. Pékin ne s'occupait plus de pourchasser les moines. Pour tenir un espace, il existe un principe plus efficace que la coercition : le développement humanitaire et l'aménagement du territoire. L'État central apporte le confort, la rébellion s'éteint. En cas de jacquerie, les autorités se récrient : « Comment ? Un soulèvement ? Alors que nous bâtissons des écoles ? » Lénine avait expérimenté la méthode, cent ans plus tôt, avec son « électrification du pays ». Pékin avait choisi cette stratégie dès les années 80. La logorrhée de la Révolution avait laissé place à la logistique. L'objectif était similaire : l'emprise du milieu.

La route traversait les cours d'eau sur des ponts flambant neufs. Des antennes de relais téléphonique couronnaient les sommets.

Le pouvoir central multipliait les chantiers. Une ligne de chemin de fer sabrait même le vieux Tibet du nord au sud. Lhasa, ville fermée aux étrangers jusqu'au milieu du XXe siècle, se trouvait désormais à quarante heures de train de Pékin. Le portrait du président chinois Xi Jinping s'étalait sur des panneaux : « Chers amis, signifiaient les slogans, je vous apporte le progrès, fermez-la ! » Jack London avait résumé les choses en 1902 : « Quiconque nourrit un homme est son maître. »

Passèrent des villages de colons où des cubes de ciment abritaient des Chinois en kaki et des Tibétains dont les bleus de travail confirmaient que la modernité est la clochardisation du passé.

En attendant, les dieux se retiraient, les bêtes avec eux. Comment aurions-nous croisé un lynx dans ces vallées de marteaux piqueurs ?

Le cercle

Nous nous approchions de la voie ferrée, je somnolais dans l'air livide. Le Tibet avait la peau à vif. Nous allions dans une géographie de rabots granitiques et de plaques de terre. Dehors, un soleil de sanatorium rehaussait parfois le thermostat au-dessus de – 20 °C. Par manque de goût pour les casernements, nous ne nous arrêtions jamais dans les villages du front pionnier chinois, préférant les monastères. Dans la cour d'un temple bouddhiste à la périphérie de Yushu nous avions assisté aux grandes convergences des pèlerins devant les autels fumant d'encens. Des plaques d'ardoises s'empilaient gravées du mantra bouddhiste : « Salut à toi joyau dans la fleur de lotus. »

Les Tibétains circulaient autour de ces monticules, actionnant du poignet les moulins à prières portatifs. Une petite fille m'offrit son chapelet que j'égrainerais pendant un mois. Un yack recouvert d'un manteau de l'armée mâchait du carton, seul être vivant immobile. Pour acquérir des mérites dans le cycle des réincarnations, des pénitents arthritiques et chamarrés de scrofules rampaient dans la poussière, les mains protégées par des patins de bois. L'air sentait la mort et l'urine. Les fidèles tournaient, attendant que passe cette vie. Parfois, s'avançait dans la ronde un groupe de cavaliers du haut plateau, avec des gueules de Kurt Cobain – surplis de fourrure, Ray-Ban et chapeau de cow-boys –, chevaliers du grand manège morbide. Comme tous les Gitans glorieux, les Tibétains aiment le sang, l'or, les bijoux et les armes. Ceux-là allaient sans fusils ni poignards. Pékin avait interdit le port d'armes, bien avant les années 2000. Le désarmement civil avait eu du bon pour les bêtes sauvages : on tirait moins sur les panthères. Mais psychologiquement, l'effet s'avérait désastreux car un mousquetaire sans épée est un roi nu.

— Ce tournis, ces rondes. On dirait des vautours au-dessus d'un cadavre, dis-je.

— Le soleil et la mort, dit Léo, la pourriture et la vie, le sang dans la neige : le monde est un moulin.

En voyage, toujours emmener un philosophe avec soi.

Le yack

Le grand corps du Tibet était couché, malade, dans l'air raréfié. Le troisième jour, nous croisâmes le chemin de fer, à plus de 4 000 mètres d'altitude. Les rails balafraient la steppe, venus du nord, parallèles à la route goudronnée. Je l'avais parcourue à bicyclette quinze ans auparavant, vers Lhasa, alors même que le chantier du train s'initiait. Depuis, des ouvriers tibétains étaient morts d'inanition et les yacks avaient appris à regarder passer les trains. Je me souvenais de la peine que j'avais eue à arracher les kilomètres à ces horizons trop larges pour une bicyclette. L'effort n'était jamais récompensé par une sieste dans les alpages.

À cent kilomètres au nord, après le village de Budong Qan, nous remontâmes la vallée des yacks, promise par Munier. La piste filait vers le couchant le long d'une rivière gelée bordée de talus sablonneux, soieries claires.

Au nord, les piémonts des monts Kunlun dessinaient un ourlet. Le soir, les sommets rougeoyaient et se détachaient du ciel. Le jour, leurs glaces s'y confondaient. Au sud, vibrait l'horizon du Chang Tang, inexploré.

La piste passait devant une cabane de torchis à

4 200 mètres d'altitude. Silence et lumière : la bonne affaire immobilière. Nous y prîmes nos quartiers pour les jours à venir, sur des bats-flancs étroits, promesses de nuits rapides. Les ouvertures crevées dans le mur offraient une vue sur une ligne de crêtes rabotées par l'érosion qui est la neurasthénie du paysage. Au sud, à deux kilomètres de notre abri, les granits oxydés d'un dôme culminaient à 5 000 mètres : demain, ces crêtes constitueraient une plateforme d'observation et faisaient pour ce soir un vis-à-vis puissant. Au nord, le fleuve nouait ses filandres dans l'auge glaciaire large de cinq kilomètres. C'était l'un de ces fleuves du Tibet dont les eaux ne verraient pas la mer, car elles se noieraient dans les sables du Chang Tang. Ici, même les éléments se rangent à la doctrine bouddhiste de l'extinction.

Pendant dix jours, tous les matins, nous battions les environs, traversions les glacis à grands pas (les enjambées de Munier). Au réveil, nous montions à quatre cents mètres au-dessus du baraquement, sur les arêtes de granit. Nous les atteignions une heure avant le jour. L'air sentait la pierre froide. Il faisait – 25 °C : la température n'autorisait rien, ni mouvement, ni paroles, ni mélancolie. Tout juste attendions-nous le jour dans un espoir hébété. À l'aube, une lame jaune soulevait la nuit et deux heures plus tard le soleil émiettait ses taches sur les nappes de cailloux piquetées d'herbe. Le monde était l'éternité gelée. On aurait dit que les reliefs ne pourraient plus jamais s'effriter dans ces froidures. Mais soudain, l'immense désert que je croyais abandonné et que la lumière avait dévoilé se mouchetait de taches noires : les bêtes.

Par superstition, je ne parlais jamais de la panthère, elle

surgirait quand les dieux – le nom poli du hasard – jugeraient l'instant propice. Ce matin-là, Munier avait d'autres préoccupations. Il voulait s'approcher des yacks sauvages dont nous avions repéré de lointains troupeaux. Il vénérait ces bêtes, et parlait d'elles de sa voix murmurante.

— On les appelle les *drung*, c'est pour eux que je reviens ici.

Il voyait dans le taureau l'âme du monde, symbole de la fécondité. Je lui racontais que les Grecs antiques les égorgeaient pour offrir le sang aux esprits souterrains, la fumée aux dieux et les meilleurs quartiers aux princes. Les taureaux faisaient intercession, le sacrifice valait invocation. Mais Munier s'intéressait aux temps de l'âge d'or, précédant les prêtres.

— Les yacks viennent des époques immémoriales : ce sont les totems de la vie sauvage, ils étaient sur les murs paléolithiques, ils n'ont pas varié, on dirait qu'ils s'ébrouent d'une caverne.

Les yacks ponctuaient les versants de leurs grosses bourres de laine noire. Munier les fixait de son regard clair et triste. Dans un rêve éveillé, il semblait compter les derniers seigneurs donnant sur la crête un défilé d'adieu.

Ces vaisseaux loqueteux portant des cornes surdimensionnées avaient été massacrés au XXe siècle par les colons chinois et l'on trouvait à peine l'ombre de leurs troupeaux à la périphérie du Chang Tang et au pied des Kunlun. Depuis l'éveil économique de la Chine, les services gouvernementaux pratiquaient l'élevage intensif. Il fallait nourrir un milliard et demi de concitoyens que l'uniformisation des standards de vie planétaire ne pouvait décemment pas priver de viande rouge. Les agences vétérinaires avaient croisé les yacks sauvages avec les espèces domestiques et créé le *datong*, une espèce hybride conjuguant robustesse et soumission. Une race parfaite pour le monde global : reproductible, uniforme et docile, calibrée aux voracités statistiques. Les spécimens rapetissaient, se reproduisaient beaucoup mais diluaient le gène primitif. Pendant ce temps, quelques survivants de la race dangereuse continuaient à promener leur mélancolie hirsute dans les confins. Les yacks sauvages étaient les dépositaires du mythe. Parfois, les éleveurs d'État en capturaient un spécimen pour revivifier les générations domestiques. Le destin du *drung* ressemblait à une fable moderne : la violence, la force, le mystère et la gloire refluaient en ce bas monde. L'homme des villes de l'Occident technologique s'était lui aussi domestiqué. Je pouvais le décrire, j'en étais le plus parfait représentant. Au chaud dans mon appartement, soumis à mes ambitions électroménagères et occupé à recharger mes écrans j'avais renoncé à la fureur de vivre.

Il ne neigeait jamais. Le Tibet tendait ses paumes sèches sous un ciel bleu comme la mort. Ce matin-là, à cinq heures, nous étions en poste à 4 600 mètres, couchés en arrière de la crête dominant la cabane.

— Les yacks viendront, dit Munier, nous sommes à leur altitude. Chaque herbivore pâture une strate impartie.

La montagne était immobile, l'air pur, l'horizon vide. D'où un troupeau aurait-il débouché ?

Un renard s'offrit au soleil, découpé sur l'arête, loin de nous. Revenait-il de la chasse ? À peine mon œil le quitta-t-il qu'il s'évanouit. Je ne le revis jamais. Première leçon :

les bêtes surgissent sans prémices puis s'évanouissent sans espoir qu'on les retrouve. Il faut bénir leur vision éphémère, la vénérer comme une offrande. Je me souvenais des nuits d'adoration de mon enfance dans les établissements des Frères des Écoles Chrétiennes. Nous étions requis pendant des heures, les yeux tournés vers le chœur, emplis de l'espérance qu'advienne quelque chose. Les prêtres nous avaient indiqué vaguement ce dont il s'agirait mais cette abstraction nous paraissait moins désirable qu'un ballon de foot ou un petit bonbon.

Sous les voûtes de mon enfance et sur cette pente du Tibet, régnait la même inquiétude, suffisamment diffuse pour me sembler bénigne mais constamment présente pour n'être pas légère : quand prendrait fin l'attente ? Il y avait une différence entre la nef et la montagne. À genoux, on espère sans preuve. La prière s'élève, adressée à Dieu. Vous répondra-t-il ? Existe-t-il seulement ? À l'affût, on connaît ce que l'on attend. Les bêtes sont des dieux déjà apparus. Rien ne conteste leur existence. Si quelque chose advient ce sera la récompense. Si rien n'arrive, on lèvera le camp, décidé à reprendre l'affût, le lendemain. Alors, si la bête se montre, ce sera la fête. Et l'on accueillera ce compagnon dont la présence était sûre, mais la visite incertaine. L'affût est une foi modeste.

Le loup

Vers midi, le soleil était à son rendement absolu : tête d'épingle dans le néant. Au pied du vallon ouvert en demi-lune, un cube oublié : notre baraquement. De notre position, à cinquante mètres sous les crêtes aplanies, on embrassait la vue sur les pentes de caillasses. Munier avait eu raison, les yacks débouchèrent subitement. Ils vinrent par le col qui fermait le vallon, à l'ouest. Leurs taches de jais saupoudraient les éboulis à cinq cents mètres de nous. Ils s'appuyaient sur la montagne comme pour l'empêcher de tomber. Il fallut progresser vers eux sans bruit, de bloc en bloc, à revers, contre le vent.

Munier et moi dominions le troupeau à présent, à 4 800 mètres. Soudain les yacks détalèrent, remontant d'un même élan vers la crête d'où ils avaient surgi. Avaient-ils repéré nos silhouettes bipèdes, emblème de la terreur du monde ? Ils filèrent au trot dans les pentes lie-de-vin, donnant cette impression de masses en flottaison, avançant, glissant plutôt, comme des ballots de laine, sans que nos yeux ne décèlent le mouvement des pattes cachées par les fanons. Le troupeau s'arrêta sous le col.

— Continuons par la crête, on finira par les rejoindre, dit Munier.

Nous délogeâmes un tétraogalle, et provoquâmes le lent recul vers le nord d'un troupeau de « chèvres bleues » – *Pseudois nayaur* – qui avaient colonisé le fond du vallon sans que nous ne les voyions arriver. Ces caprins, que Munier affublait de leur nom tibétain, *barhals*, promenaient leurs cornes recourbées et le camaïeu de leur toison en jouant les chamois dans les escarpements. Les yacks, eux, s'étaient considérés en sécurité à l'altitude où ils étaient remontés. Ils n'en bougèrent plus.

Plus tard, nous étions couchés à une centaine de mètres d'eux, en pleine pente, dans les rocailles. Je regardais le dessin des lichens sur les pierres : des fleurs dentelées, comme sur les planches dermatologiques des livres de médecine de ma mère. Lassé de ces détails je relevai la tête vers les yacks. Ils pâturaient, et levaient la tête eux aussi. D'un mouvement lent, deux cornes se dressaient dans le ciel. Il manquait un placage d'or pour en faire les statues du palais de Cnossos. Des loups hurlèrent, loin, vers le couchant, par-delà le col.

— Ils chantent, préféra dire Munier, ils sont au moins huit.

Comment pouvait-il le savoir ? Je n'entendais qu'un même lamento. Munier poussa un hurlement. Au bout de dix minutes, un loup répondit. S'établit alors ce que je garde comme une des plus belles conversations tenues par deux êtres vivants certains de ne jamais fraterniser. « Pourquoi nous sommes-nous séparés ? » disait Munier. « Que me veux-tu ? » disait le loup.

Munier chantait. Un loup répondait. Munier se taisait,

le loup reprenait. Et soudain l'un d'eux apparut sur le col le plus haut. Munier chanta une dernière fois et le loup galopa dans le versant vers notre position. Farci de lecture médiévale – fables du Gévaudan et romans arthuriens –, je ne trouvais pas du tout agréable la vision d'un loup fonçant vers moi. Je me rassurais en regardant Munier. Il avait l'air aussi peu inquiet qu'une hôtesse d'Air France dans les turbulences.

— Il va s'arrêter d'un coup devant nous, murmura-t-il juste avant que le loup ne se fige à cinquante mètres.

Il prit la tangente, et nous coiffa par un long cheminement, trottant à niveau, la tête tournée vers nous, rendant les yacks fébriles. Le troupeau noir prit à nouveau le large, dérangé par le loup, et remonta les pentes. Tragédie de la vie en groupe : n'être jamais tranquille. Le loup disparut, nous fouillâmes le vallon, les yacks atteignirent les crêtes, la nuit tomba, nous ne le revîmes pas, il s'était évaporé.

La beauté

Les jours passaient dans la cabane. Nous améliorions l'ordinaire et luttions contre les courants d'air en bouchant les trous. Chaque matin nous quittions les lieux avant le lever du soleil. C'était la même souffrance de s'extirper du sac de couchage dans le noir et la même jouissance de se mettre en marche. Un quart d'heure d'effort suffit toujours à ranimer un corps dans une chambre froide. Le jour se levait, allumant les poinçons des montagnes puis ruisselant sur les versants et finissant par ouvrir la vallée glaciaire, immense avenue que la neige ne venait jamais feutrer. Qu'une rafale se lève, l'air se chargeait d'une poussière irrespirable. Sur ces pentes de *loess* les troupeaux laissaient leurs pointillés d'empreintes. La haute couture du monde.

Avec Léo et Marie, nous suivions Munier qui suivait les bêtes. Parfois, sur son ordre, nous nous embusquions derrière le fil de la dune et attendions les antilopes.

— Les "dunes", les "antilopes", disait Marie, un vocabulaire africain.

— Ce pays est un Éden. Climatisé.

Le soleil brillait mais ne réchauffait rien. Le ciel, cloche de cristal, compressait un air jeune. Le froid nous mordait. Nous cessions d'y penser quand les bêtes arrivaient. Nous ne les voyions pas s'approcher mais soudain elles étaient là, campées dans la poussière. C'était l'apparition.

Munier me parlait de sa première photographie prise à l'âge de douze ans : un chevreuil dans les Vosges. « Ô noblesse, ô beauté simple et vraie », avait prié le jeune Ernest Renan dans les ruines d'Athènes. Pour Munier, cette première rencontre fut sa nuit sur l'Acropole.

— Ce jour-là, j'ai forgé mon destin : voir les bêtes. Les attendre.

Dès lors, il avait passé plus de temps allongé derrière les souches que sur les bancs de l'école. Son père ne l'avait pas trop forcé. Il n'avait pas eu son bac et gagna sa vie sur les chantiers, jusqu'à ce que ses photographies soient couronnées.

Les scientifiques le regardaient de haut. Munier considérait la nature en artiste. Il ne valait rien pour les obsédés de la calculette, serviteurs du « règne de la quantité ». J'en avais rencontré quelques-uns de ces calculateurs. Ils baguaient les colibris et éventraient des goélands pour prélever des échantillons de bile. Ils mettaient le réel en équation. Les chiffres s'additionnaient. La poésie ? Absente. La connaissance progressait-elle ? Pas sûr. La science masquait ses limites derrière l'accumulation des données numériques. L'entreprise de mise en nombre du monde prétendait faire avancer le savoir. C'était prétentieux.

Munier, lui, rendait ses devoirs à la splendeur et à elle seule. Il célébrait la grâce du loup, l'élégance de la grue, la perfection de l'ours. Ses photos appartenaient à l'art, pas à la mathématique.

« Tes détracteurs préféreraient modéliser la digestion du tigre que posséder un Delacroix », disais-je. Eugène Labiche, à la fin du XIXe siècle, pressentait le ridicule des âges savants : « La statistique, madame, est une science moderne et positive. Elle met en lumière les faits les plus obscurs. Ainsi, dernièrement, grâce à des recherches laborieuses, nous sommes arrivés à connaître le nombre exact des veuves qui ont passé sur le Pont-Neuf pendant le cours de l'année 1860[1]. »

— Un yack est un seigneur, je me fiche qu'il ait dégluti douze fois ce matin ! répondit Munier.

Il avait toujours l'air de couver une mélancolie. Il n'élevait jamais le ton pour ne pas effrayer les niverolles.

1. Eugène Labiche, *Les vivacités du Capitaine Tic.*

La médiocrité

Encore un matin dans les talus de poussière. Le sixième. Ce sable avait été une montagne que les fleuves avaient moulue. Les pierres gardaient des secrets remontant à vingt-cinq millions d'années, quand la mer couvrait les lieux. L'air asphyxiait tout mouvement. Le ciel était bleu comme une enclume. Une couche de givre nappait le sable d'un tulle. Une gazelle mangeait la neige à tout petits coups d'encolure.

Soudain, un âne sauvage. L'animal s'arrêta, aux aguets. Munier collait son œil dans le viseur. Cette gymnastique s'apparentait à la chasse. Ni Munier ni moi n'avions l'âme tueuse. Pourquoi détruire une bête plus puissante, et mieux adaptée que soi ? Le chasseur fait coup double. Il détruit un être et tue en lui-même le dépit de n'être point aussi viril que le loup ou aussi découplé que l'antilope. Pan ! Le coup part. « Enfin », dit la femme du chasseur.

Il faut le comprendre le pauvre, il est injuste d'être bedonnant quand vaque autour de soi un peuple tendu comme l'arc.

L'âne ne repartait pas. Si nous ne l'avions pas vu arriver tout à l'heure, nous l'aurions pris pour une statue de sable.

Nous surplombions le talus de la rivière gelée à cinq kilomètres de notre camp et je parlais de la lettre que m'avait envoyée, il y a quelques années, monsieur de B. – chapeau à plumes et frac en velours –, président de la Fédération des chasseurs de France, à la suite d'un article où j'étrillais les chasseurs. Il m'accusait d'être le petit citadin chaussé de mocassins à glands, n'ayant aucun sens de la tragédie, arpenteur de jardins, amoureux des mésanges, effrayé par le claquement des culasses. Un minet, quoi. J'avais lu la lettre au retour d'un séjour dans les montagnes d'Afghanistan et je m'étais dit qu'il était fort dommage d'affubler du même nom de *chasseur* l'homme éventrant le mammouth d'un coup d'épieu et le monsieur à double menton distribuant sa volée de plombs à un faisan obèse, entre le cognac et le chaource. L'usage d'un mot similaire pour qualifier des opposés n'arrange rien à la souffrance du monde.

La vie

Toujours le point stérile du soleil dans son palais de glace. L'étrange sensation de tourner son visage vers l'astre et de n'en pas ressentir la caresse. Munier continuait à nous mener par les glacis. Nous ne nous éloignions jamais de plus de dix kilomètres de la cabane. Une fois, nous allions vers les arêtes. Une autre, à la rivière. Ce balancement suffisait pour rencontrer les habitants des lieux.

L'amour des bêtes avait aboli toute vanité en Munier. Il ne s'intéressait pas trop à lui-même. Il ne se plaignait jamais et, par contrecoup, nous n'osions pas nous déclarer fatigués. Les herbivores circulaient, rasant les pâturages au contact des versants et du glacis. À la pliure du relief, là où les déclivités rencontraient l'auge de la vallée, naissaient de petites sources. Passait une file d'ânes sauvages, promenant sur des jambes jamais tremblantes une grâce fragile et une robe d'ivoire. Passait une colonne d'antilopes tirant un voile derrière elles.

— *Pantholops hodgsonii*, dit Munier qui parlait le latin en présence des animaux.

Le soleil transmutait la poussière en sillage d'or qui retombait en filet rouge. Les pelages vibraient dans la lumière, donnant l'illusion d'une vapeur. Munier, adorateur du soleil, se débrouillait toujours pour se poster dans les contre-jours. C'était un paysage de désert minéral que des mouvements magmatiques auraient hissé au ciel. Ces spectacles constituaient l'héraldique de la haute Asie : une ligne de bêtes au pied d'une tour posée sur un glacis. Tous les jours, dans les à-plats arasés, nous prélevions nos visions : des rapaces, des pikas – le nom des chiens de prairie tibétains –, des renards et des loups. Une faune aux gestes délicats adaptée à la violence des altitudes.

Dans ce haut parvis de la vie et de la mort, il se jouait une tragédie, difficilement perceptible, parfaitement réglée : le soleil se levait, les bêtes se pourchassaient, pour s'aimer ou se dévorer. Les herbivores passaient quinze heures par jour, la tête vers le sol. C'était leur malédiction : vivre lentement, occupé à paître une herbe pauvre mais offerte. Pour les carnassiers la vie était plus palpitante. Ils traquaient une nourriture rare, dont la rafle constituait la promesse d'une fête de sang et la perspective de siestes voluptueuses.

Tout ce monde mourait et les corps déchirés par les charognards mouchetaient le plateau. Bientôt les squelettes brûlés d'ultraviolets se réincorporaient à la valse biologique. Cela avait constitué la belle intuition de la Grèce antique : l'énergie du monde circulait en un cycle fermé, du ciel aux pierres, de l'herbe à la chair, de la chair à la terre, sous la houlette d'un soleil qui offrait ses photons aux échanges azotiques. Le *Bardo Thödol*, Livre des Morts tibétain, disait la même chose qu'Héraclite et les philosophes de la fluctuation. Tout passe, tout coule, tout s'écoule, les ânes galopent, les loups les pourchassent, les vautours planent : ordre, équilibre, plein soleil. Un silence écrasant. Une lumière sans filtre, peu d'hommes. Un rêve.

Et nous nous tenions là, dans ce jardin vital, aveuglant et morbide. Munier avait prévenu : c'était le paradis par – 30 °C. La vie se rassemblait : naître, courir, mourir, pourrir, revenir dans le jeu sous une autre forme. Je comprenais le souhait des Mongols de laisser leurs morts se décomposer dans la steppe. Si ma mère l'avait dicté j'aurais aimé que nous allassions déposer son corps dans un repli des Kunlun. Les charognards l'auraient déchiqueté avant de se livrer, eux-mêmes, à d'autres mâchoires, et de se diffuser en d'autres corps – rat, gypaète, serpent –, offrant à un fils orphelin d'imaginer sa mère dans le battement d'une aile, l'ondulation d'une écaille, le frémissement d'une toison.

La présence

Munier rachetait ma myopie. Son œil décelait tout, je ne soupçonnais rien. « Faire surgir l'objet, voilà qui est plus important que le faire signifier[1] », avait écrit Jean Baudrillard à propos de l'œuvre d'art. À quoi bon gloser sur les antilopes ? Elles avaient surgi, vibrant d'abord dans le lointain, s'approchant, fixant leur contour, et posées là soudain dans une présence fragile que la moindre inquiétude aurait fait s'évanouir. Nous les avions vues. C'était de l'art.

Marie et Léo, en côtoyant Munier, des Vosges au Champsaur, avaient progressé dans l'identification de l'indiscernable. Sur ce plateau désert, ils détectaient parfois l'antilope dans les roches blondes ou le chien de prairie regagnant l'ombre. Voir l'invisible : principe du Tao chinois et vœu d'artiste. Moi, j'avais battu les steppes pendant vingt-cinq années sans déceler dix pour cent de ce que Munier captait. J'avais bien croisé un loup en 1997 dans le sud du Tibet, j'étais tombé nez à nez avec une fouine sur les toits

1. Jean Baudrillard, Préface au catalogue de l'exposition de Charles Matton au Palais de Tokyo, 1987.

de l'église de Saint-Maclou, à Rouen, j'avais surpris quelques ours en 2007 et en 2010 dans la taïga sibérienne et même eu le déplaisir de sentir une tarentule courir sur ma cuisse au Népal en 1994, mais c'étaient des rencontres accidentelles projetées devant moi sans effort pour les susciter. On pouvait s'échiner à explorer le monde et passer à côté du vivant.

« J'ai beaucoup circulé, j'ai été regardé et je n'en savais rien » : c'était mon nouveau psaume et je le marmonnais à la mode tibétaine, en bourdonnant. Il résumait ma vie. Désormais je saurais que nous déambulions parmi des yeux ouverts dans des visages invisibles. Je m'acquittais de mon ancienne indifférence par le double exercice de l'attention et de la patience. Appelons cela l'amour.

Je venais de le comprendre : le jardin de l'homme est peuplé de présences. Elles ne nous veulent pas de mal, mais elles nous tiennent à l'œil. Rien de ce que nous accomplirons n'échappera à leur vigilance. Les bêtes sont des gardiens de square, l'homme y joue au cerceau en se croyant le roi. C'était une découverte. Elle n'était pas désagréable. Je savais désormais que je n'étais pas seul.

Séraphine de Senlis était un peintre du début du XXe siècle, artiste semi-toquée, semi-géniale, légèrement kitsch et peu considérée. Dans ses toiles, elle piquetait les arbres d'yeux grands ouverts.

Jérôme Bosch, Flamand des arrière-mondes, avait intitulé une gravure *Le bois a des oreilles, le champ a des yeux*. Il avait dessiné des globes oculaires dans le sol et dressé deux oreilles humaines à l'orée d'une forêt. Les artistes le savent : le sauvage vous regarde sans que vous le perceviez. Il disparaît quand le regard de l'homme l'a saisi.

« Là, en face, sur le talus, un renard, à cent mètres ! » me disait Munier comme nous traversions la rivière sur la glace. Et je mettais longtemps à voir ce que je regardais. J'ignorais que mon œil avait déjà capté ce que mon esprit refusait de concevoir. Soudain se composait la silhouette de la bête comme si pigment par pigment, détail par détail elle se précisait dans les rochers, se révélant à moi.

Je me consolais de mon inaptitude. Il y avait une jouissance à se savoir scruté sans rien soupçonner. Fragment d'Héraclite : « La nature aime à se cacher. » Que signifiait cette énigme ? La nature se cachait-elle pour échapper à la dévoration ? Se cachait-elle parce que la force n'a pas besoin de manifestation ? Tout n'avait pas été créé pour le regard de l'homme. L'infiniment petit échappait à notre raison, l'infiniment grand à notre voracité, les bêtes sauvages à notre observation. Les animaux régnaient et, comme le cardinal de Richelieu espionnant son peuple, ils nous surveillaient. Je les savais en vie circulant dans le labyrinthe. Et cette bonne nouvelle était ma jouvence !

La simplicité

Un soir, nous buvions un thé noir sur le seuil de notre cabane quand Marie signala un voile, levé en tourbillon au point le plus bas de la pédiplaine. Un troupeau de huit ânes sauvages fusait le long de la rivière, à quatre kilomètres de la cabane, venant de l'est, et se rapprochant de nous. Déjà Munier était à son télescope.

— *Equus kiang*, dit-il quand je lui demandai le nom savant, hémiones, pour les intimes.

Ils s'étaient arrêtés dans une pâture de graminées, au nord. Ce jour-là, nous n'avions presque pas vu d'êtres vivants dans le vallon de la cabane. Le loup qui y avait chanté la veille avait semé la panique. Les bêtes ne dansent pas quand le loup chante. Elles se terrent.

Quittant l'abri, nous approchâmes les ânes en file indienne, dissimulés derrière un talus d'alluvions. Un aigle royal auréolait le troupeau. Nous gagnâmes un canyon incisé dans le versant et, dans le lit asséché, couverts de nos tenues de camouflage, le dos courbé, nous avancions. Les ânes paissaient nerveusement. Leur robe fauve, cernée de lignes noires, faisait des taches précieuses :

— Des porcelaines sur un guéridon, dit Léo.

Les kiangs, cousins des chevaux, n'avaient pas subi l'indignité de la domestication, mais l'armée chinoise les avait massacrés pour nourrir l'avancée des troupes, il y a un demi-siècle. Ceux-là étaient des survivants. Nous distinguions leur chanfrein bombé, leur crinière drue, leur croupe arrondie. Le vent tendait un lavis de poussière derrière eux. Les bêtes étaient à cent mètres et Munier les visait. Soudain ils fusèrent vers l'ouest, comme électrocutés. Un caillou avait roulé sous nos pas. Une électricité traversa le plateau. Les rafales soufflaient, la lumière explosait dans la poussière levée par les galops, la cavalcade ébouriffa des nuages de niverolles, un renard dérangé courut éperdument. La vie, la mort, la force, la fuite : la beauté disjonctait.

Munier, tristement :

— Mon rêve dans la vie aurait été d'être totalement invisible.

La plupart de mes semblables, et moi le premier, voulaient le contraire : nous montrer. Aucune chance pour nous d'approcher une bête.

Nous revînmes à la cabane sans la précaution de nous dissimuler. L'obscurité gagnait et le froid me perçait moins les os, car la nuit le rendait plus légitime. Je refermai la porte de l'abri, Léo lança le réchaud à gaz, je pensais aux bêtes. Elles se préparaient aux heures de sang et de gel. Dehors, la nuit du chasseur commençait. Déjà, se modulaient les cris d'une chevêche d'Athéna. Ils ouvraient les opérations d'éviscération générale. Chacun cherchait sa proie. Les loups, les lynx, les martres allaient lancer les attaques, et la fête barbare durerait jusqu'à l'aube. Le soleil mettrait terme à l'orgie. Les carnassiers chanceux se reposeraient alors, ventre plein, jouissant dans la lumière du résultat de la nuit. Les herbivores, eux, reprendraient leurs errances pour arracher quelques touffes à convertir en énergie de fuite. Ils étaient sommés par la nécessité de se tenir tête baissée vers le sol, rasant la pitance, cou ployé sous le fardeau du déterminisme, cortex écrasé contre l'os frontal, incapables d'échapper au programme qui les vouait au sacrifice.

Nous préparâmes la soupe dans la bergerie. Le ronflement du réchaud offrait une illusion de chaleur. Il faisait – 10 °C à l'intérieur. Nous énumérions les visions de la semaine, actualité moins déplorable mais aussi passionnante que l'invasion du Kurdistan par les Turcs. Après tout, la descente d'un loup dans un groupe de yacks, la fuite de huit ânes survolés par un aigle n'étaient pas des événements moins considérables que la visite d'un président américain à son homologue coréen. Je rêvais d'une presse quotidienne dévolue aux bêtes. Au lieu de : « Attaque meurtrière pendant le carnaval », on lirait dans les journaux : « Des chèvres bleues gagnent les Kunlun ». On y perdrait en angoisse, on y gagnerait en poésie.

Munier lapait sa soupe et immanquablement, sous sa chapka, avec un air de sidérurgiste biélorusse, les joues émaciées par les cavales, il lançait d'un ton très homme du monde : « Ne finirions-nous pas sur une touche sucrée ? » avant d'éventrer une boîte de conserve d'un coup de poignard. Il consacrait sa vie à la vénération des bêtes. Marie prenait le chemin de cette vie. Comment supportaient-ils de retourner dans le monde des hommes, c'est-à-dire le désordre ?

L'ordre

Le matin suivant, nous nous étions cachés Léo et moi derrière le talus alluvial flanquant le cours de la rivière, au débouché de l'un de ses petits affluents. C'était un bon affût pour les passages. Des ombres noires couraient sur les roches. Paysage de sépulcre, soleil silencieux, lumière vive : on n'attendait plus que les bêtes. Munier et Marie étaient couchés à l'ouest, à l'abri de grands blocs noirs. Des gazelles arrachaient des herbes à deux cents mètres. Elles s'affairaient fragilement, trop occupées à la besogne pour savoir qu'un loup approchait. Une chasse allait s'ouvrir et le sang couler dans la poussière blanche.

Que s'était-il passé ? Pourquoi ces chasses cruelles, et ces souffrances toujours recommencées ? La vie me semblait une succession d'attaques et le paysage, stable d'apparence, le décor de meurtres perpétrés à tous les échelons biologiques, de la paramécie à l'aigle royal. L'une des plus morbides philosophies de la sortie de la souffrance, le bouddhisme, s'était juchée sur le plateau tibétain, au Xe siècle. Le Tibet était l'endroit rêvé où se poser pareilles questions. Munier était à l'affût et pouvait rester en poste pendant huit heures. Cela laissait du temps pour la métaphysique.

Question préalable : pourquoi voyais-je toujours dans un paysage les coulisses de l'horreur ? Même à Belle-Île, devant la mer adoucie de soleil, mêlé aux vacanciers soucieux de vider leur givry avant le crépuscule, je m'imaginais la guerre sous la surface : les crabes déchiquetant leurs proies, les gueules des lamproies aspirant leurs victimes, chaque poisson cherchant plus faible que lui, les épines, les rostres, les crocs déchirant toute chair. Pourquoi ne pas jouir d'un paysage sans se figurer le crime ?

En des âges inconcevables, avant le big-bang, reposait une puissance, magnifique et monomorphe. Son règne pulsait. Autour, le néant. Les hommes avaient rivalisé pour donner un nom à ce signal. C'était Dieu pour les uns, nous contenant en *devenir*, dans la paume de sa main. Des esprits plus prudents l'avaient appelé « l'Être ». Pour d'autres, c'était la vibration du Om primordial, une énergie-matière en attente, un point mathématique, une force indifférenciée. Des marins à cheveux blonds sur des îles de marbre, les Grecs, avaient appelé « chaos » la pulsation. Une tribu de nomades recuits de soleil, les Hébreux, l'avait baptisée « verbe », que les Grecs traduisaient par « souffle ». Chacun trouvait un terme pour désigner l'unité. Chacun affûta ses poignards pour zigouiller son contradicteur. Toutes ces propositions signifiaient la même chose : dans l'espace-temps ondulait une singularité première. Une explosion la libéra. Alors, l'inétendu s'étendit, l'ineffable connut le décompte, l'immuable s'articula, l'indifférencié prit des visages multiples, l'obscur s'illumina. Ce fut la rupture. Fin de l'Unicité !

Dans la soupe barbotèrent les données biochimiques. La vie apparut et se distribua à la conquête de la Terre. Le temps s'attaquait à l'espace. Ce fut la complication. Les êtres se ramifièrent, se spécialisèrent, s'éloignèrent les uns des autres, chacun assurant sa perpétuation par la dévoration des autres. L'Évolution inventa des formes raffinées de prédation, de reproduction et de déplacement. Traquer, piéger, tuer, se reproduire fut le motif général. La guerre était ouverte, le monde son champ. Le soleil avait déjà pris feu. Il fécondait la tuerie de ses propres photons et il mourrait en s'offrant. La vie était le nom donné au massacre en même temps que le requiem du soleil. Si un Dieu était vraiment à l'origine de ce carnaval, il aurait fallu un tribunal de plus haute instance pour le traduire en justice. Avoir doté les créatures d'un système nerveux était la suprême invention dans l'ordre de la perversité. Elle consacrait la douleur comme principe. Si Dieu existait, il se nommait « souffrance ».

Hier, l'homme apparut, champignon à foyer multiple. Son cortex lui donna une disposition inédite : porter au plus haut degré la capacité de détruire ce qui n'était pas lui-même tout en se lamentant d'en être capable. À la douleur, s'ajoutait la lucidité. L'horreur parfaite.

Ainsi, chaque être vivant était-il un éclat du vitrail originel. Ce matin-là, dans le Tibet central, antilopes, gypaètes et grillons à la lutte m'apparaissaient des facettes de la boule disco accrochée au plafond de l'expansion. Ces bêtes photographiées par mes amis constituaient l'expression diffractée de la séparation. Quelle volonté avait ordonné l'invention de ces formes monstrueusement sophistiquées, toujours plus ingénieuses et toujours plus distantes à mesure que les millions d'années passaient ? La spirale, la mandibule, la plume et l'écaille, la ventouse et le pouce préhensile étaient les trésors du cabinet de curiosités de cette puissance géniale et déréglée qui avait triomphé de l'unité et orchestré l'efflorescence.

Le loup se rapprocha des gazelles. Elles levèrent la tête, d'un même mouvement. Une demi-heure passa. Personne ne bougeait plus. Ni le soleil, ni les bêtes, ni nous-mêmes statufiés derrière nos jumelles. Le temps passait. Seuls des lambeaux d'ombre glissaient lentement à l'assaut des montagnes : des nuages.

À présent, régnaient les êtres vivants, propriétés de ce qui avait été « l'Unique ». L'Évolution continuait ses opérations. Nous étions de nombreux hommes à rêver aux âges primordiaux où tout reposait dans la vibration des débuts.

Comment calmer cette nostalgie du grand démarrage ? On pouvait toujours prier Dieu. C'était une occupation agréable, moins fatigante que la pêche à l'espadon. On s'adressait à un attribut unitaire qui aurait précédé le divorce, on s'agenouillait dans une chapelle et on murmurait des psaumes en pensant : Dieu, pourquoi ne vous êtes-vous pas contenté de vous-même au lieu de vous livrer à vos expériences biologiques ? La prière était condamnée à l'échec car la source était trop complexifiée et nous étions venus trop tard. Novalis l'avait dit plus subtilement : « Nous cherchons l'absolu, nous ne trouvons que des choses[1]. »

On pouvait aussi penser que l'énergie primitive pulsait, résiduelle, en chacun de nous. Autrement dit que résonnait

1. Novalis, *Grains de pollen*.

en nous tous un peu du vibrato originel. La mort saurait nous réincorporer au poème initial. Ernst Jünger, quand il tenait un petit fossile du précambrien dans le creux de sa main, méditait sur l'apparition de la vie (c'est-à-dire du malheur) et rêvait aux origines : « Un jour, nous saurons que nous nous sommes connus[1]. »

Enfin, restait la technique de Munier : traquer partout les échos de la partition première, saluer les loups, photographier les grues, rassembler à coups d'obturateur les tessons de la matière mère explosée par l'Évolution. Chaque bête constituait un scintillement de la source égarée. Un instant, notre tristesse s'atténuait de ne plus palpiter dans le sommeil de la déesse-méduse.

L'affût était une prière. En regardant l'animal, on faisait comme les mystiques : on saluait le souvenir primal. L'art aussi servait à cela : recoller les débris de l'absolu. Dans les musées on passait devant les tableaux, carrés de la même mosaïque.

J'exposais ces considérations à Léo qui profita d'un relèvement de la température pour s'endormir. Il faisait – 15 °C, le loup se remit en marche, passa sans s'en prendre aux gazelles.

1. Ernst Jünger, *La cabane dans la vigne*.

DEUXIÈME PARTIE

LE PARVIS

L'évolution des espaces

Le dixième jour, à l'aube, nous quittâmes nos lieux et partîmes vers l'ouest à bord des Jeep. Le soleil blanchissait la Terre. « Cœur des ténèbres lumineuses », aurait dit un adepte du Tao. Nous visions le lac Yaniugol au pied des Kunlun, à cent kilomètres de notre abri. Munier avait dit : « Rejoignons la tête de la vallée. Il y aura des yacks. » Un bon ordre du jour.

Il fallut une journée pour cent kilomètres d'ornières. Les pentes noires des reliefs coulaient du ciel, lissées par des millions d'hivers. La vallée s'ouvrait, large, protégée par le piémont sur sa bordure nord. Parfois un sommet de 6 000 mètres signalait sa présence. Qui s'en souciait ? Les animaux n'y montaient pas. L'alpinisme n'existait pas en ces parages. Les dieux s'étaient retirés. Des ravines griffaient les versants, comme si l'eau refusait de descendre c'est-à-dire de mourir. Il faisait – 20 °C, le désert s'animait de lignes de fuite : des ânes fusaient dans la poussière, des gazelles battaient des records. Les bêtes ne se fatiguaient jamais. Les rapaces tenaient le surplace au-dessus des terriers de rongeurs. Aigles royaux, faucons sacres, chèvres bleues s'entrecroisaient : bestiaire médiéval dans les jardins glacés. Un loup maraudait près de la piste, perché sur un talus d'alluvions, l'air pas tranquille. Ils étaient vexants ces animaux à batifoler à près de 5 000 mètres d'altitude. J'avais les poumons en feu.

Le paysage disposait ses strates comme dans les toiles tibétaines tendues aux murs des monastères. Trois bandes structuraient la splendeur. Dans le ciel : la glace éternelle. Sur les pentes : les roches où se prenait la brume. Dans la vallée : des êtres ivres de vitesse. Après dix jours, croiser ces animaux relevait de l'ordinaire. Je m'en voulais de m'habituer à ces apparitions. J'imaginais Karen Blixen petit-déjeunant tous les matins au pied du Ngong, l'air de rien, devant les explosions de flamants roses. Je me demandais si elle s'était fatiguée de la splendeur. Elle avait écrit *La ferme africaine*, le plus beau des livres sur le paradis terrestre. La preuve qu'on ne se lasse jamais de l'indescriptible.

Le Chang Tang approchait, prélude de mon rendez-vous d'amour. Pendant des années, j'avais tourné autour de ce donjon. À pied, en camion, à bicyclette, entre vingt et trente-cinq ans j'en avais sillonné les parvis sans pénétrer à l'intérieur, sans même jeter un regard par-dessus les remparts. Occupant le cœur du Tibet à 5 000 mètres de moyenne, ce plateau de fondrières, grand comme la France, assurait la transition entre les Kunlun au nord, et la chaîne de l'Himalaya au sud. La zone échappait à *l'aménagement du territoire*, nom de la dévastation des espaces par la technostructure. Personne ne peuplait le territoire, quelques nomades le traversaient. Aucune ville, pas de routes. Des toiles de tente claquant dans les rafales : voilà pour la présence humaine. Les géographes avaient vaguement cartographié ce désert d'altitude, reproduisant sur des cartes du XXIe siècle les itinéraires fugaces d'explorateurs du XIXe siècle. Il aurait été bon de signaler l'existence de ce plateau aux esprits pleurnichant sur « la fin de l'aventure ». Ces âmes mortes geignaient : « Nous sommes nées trop tard dans un monde sans secrets. » Pour peu qu'on les cherchât, les zones d'ombre existaient encore. Il suffisait de pousser les bonnes portes conduisant aux bons escaliers de service. Le Chang Tang offrait l'échappée. Mais quel effort pour l'atteindre !

George B. Schaller, biologiste américain – réputation mondiale et belle gueule d'US marine – avait sillonné la zone dans les années 1980 et étudié la faune d'ours, d'antilopes et de panthères. Il avait alerté les pouvoirs publics sur la présence des braconniers. Piégeages et chasses vidaient le plateau. Les autorités étaient complices des massacres. Personne n'écouta l'Américain. Il avait fallu attendre 1993 pour classer la région en réserve naturelle et les années 2000, pour y interdire toute chasse. Le livre de Schaller était notre évangile, placé sur la lunette de l'automobile. Il s'intitulait *Wildlife of the Tibetan Steppe*, ce qui, d'après les informations du plus lettré d'entre nous, Léo, signifiait en patois global : « Faune sauvage des steppes tibétaines ». Munier avait rencontré Schaller quelques années auparavant. Le maître lui avait décoché un compliment à propos de ses photos de loups arctiques. Notre ami avait eu l'impression d'être adoubé par le roi.

Pour ce voyage, nous avions proclamé Schaller mentor à double titre. Il avait défriché les mystères du Chang Tang. En outre, dans les années 1970 il avait voyagé à pied dans le Dolpo népalais avec l'écrivain Peter Matthiessen. Les deux Américains avaient poursuivi les barhals bleus et la panthère des neiges. Schaller l'avait bien aperçue mais elle avait échappé à Matthiessen qui avait rapporté un livre labyrinthique, *Le léopard des neiges*, où il était question du bouddhisme tantrique autant que de l'évolution des espèces. Matthiessen était essentiellement préoccupé par lui-même. Avec Munier, je commençais à saisir que la contemplation des bêtes vous projette devant votre reflet inversé. Les animaux incarnent la volupté, la liberté, l'autonomie : ce à quoi nous avons renoncé.

À cinquante kilomètres du lac, une clarté nouvelle s'ouvrait dans le ciel : la pièce d'eau y reflétait sa lumière. Un troupeau courait vers le sud. J'ouvris l'évangile selon Schaller, reconnus les antilopes. Le cartouche précisait le nom tibétain : « *chirou* ».

— Stop ! dit Munier qui n'eut pas besoin des lumières de Schaller.

On laissa les véhicules au milieu de la piste. Le pelage des antilopes égayait l'aridité de taches joyeuses. Blanche et grisée, plus douce qu'un cachemire, leur toison les avait condamnées. Les braconniers vendaient les peaux à l'industrie textile, business planétaire. L'espèce était menacée de disparition malgré les programmes de protection gouvernementaux. La lumière auréolait les encolures, je ne chassais pas cette idée : l'une des traces du passage de l'homme sur la Terre aura été sa capacité à faire place nette. L'être humain avait résolu la question philosophique de la définition de sa nature propre : il était un nettoyeur.

Donc, me disais-je – l'œilleton des jumelles écrasé dans

les orbites –, la fourrure de ces êtres *laçant et délaçant leurs courses fraternelles* est destinée à finir sur les épaules d'êtres humains dont les capacités physiques sont notoirement moindres. En d'autres termes, Lucette, incapable de courir cent mètres, ne rougira jamais de porter un cache-nez en chirou.

J'étais couché sur le fossé de la piste face à un à-plat de cailloux blancs incliné vers le nord. Marie filmait deux mâles à l'escrime. Les cornes s'entrechoquaient : cliquetis de porcelaine sur tasse de bois laqué. Les chirous portaient des dagues recourbées vers l'avant. Elles pouvaient percer une panse, mais ne pouvaient pas briser un crâne. Les deux mousquetaires démêlèrent les fleurets. Le vainqueur courut vers un troupeau de femelles, sa récompense. Marie rangea la caméra :

— Ils se battent, ils vont aux filles : la vieille histoire.

L'unique et le multiple

Le lac Yaniugol, haut lieu du Tao chinois, était suspendu en pleine steppe, à 4 800 mètres d'altitude. Il posait son hostie de jade dans le sable. Il nous apparut au crépuscule, dans le fond du replat, flanqué au nord par les canines des Kunlun à plus de 6 000 mètres, et bordé au sud par la herse du Chang Tang. Derrière elle, le plateau secret.

Nous appelions la pièce d'eau « lac du Tao ». Des pèlerins y convergeaient chaque été. Ils vénéraient l'idée de l'unité primordiale. Certains se prétendaient adeptes du non-agir. Le Tao était l'inclusion de la précieuse intuition chinoise dans un territoire de foi bouddhique. La première recommandait de ne rien faire, la seconde de ne rien désirer. Mais que fichaient des Occidentaux comme nous en ces parages ?

Diffusé à partir du VIe siècle avant J.-C., le Tao se jucha sur le plateau tibétain. Qui le porta en ces confins ? Lao-tseu lui-même ? La tradition représentait le Vénérable, monté sur un buffle, quittant le monde après avoir rédigé le *Tao-tö-king*. Je me représentais son fantôme cheminant encore dans la lumière du XXIe siècle.

Sur les bords occidentaux du lac, les autorités chinoises

avaient aligné des baraquements de chantier destinés aux disciples. Il n'y avait pas une âme et les pans de tôle claquaient, abandonnés dans les rafales. Des drapeaux rouges flottaient, un rapace nageait dans le ciel. L'air était vide, la vie retenue. La lumière tombait. L'eau restait lactescente parmi les ombres.

Nous installâmes nos sacs de couchage dans les cahutes que les parois de métal réfrigéraient efficacement. À sept heures du soir, nous fermâmes la porte disjointe à coups de botte. Dans le crépuscule, des gazelles couraient encore, des pikas sautillaient, et les vautours planaient.

« Ton âme peut-elle embrasser l'unité ? » demandait le dixième chapitre du *Tao-tö-king*. Cette question était un excellent soporifique. Elle constituait mon obsession depuis que nous croisions les animaux. Le souvenir rayonnait par le monde d'une force primitive, émiettée en une multitude de formes sadiques. La source s'était divisée, il s'était passé quelque chose. Nous ne saurions jamais quoi. Le Tao était-il le nom du commencement ou le nom de la multiplicité ? J'ouvrais le premier chant :

> *Sans nom, il représente l'origine de l'univers ;*
> *Avec un nom il constitue la mère de tous les êtres ;*

L'origine et les êtres. L'absolu et les choses.

Les mystiques cherchaient la mère. Les zoologistes s'intéressaient aux descendants.

Demain, nous ferions semblant d'être les seconds.

L'instinct et la raison

Un sommet anonyme se dressait au sud. Nous l'avions repéré dès notre arrivée au lac : une pyramide surnageant du massif, à la lisière du Chang Tang. Le lendemain de notre installation sur les grèves du lac, nous marchions en colonne à travers le glacis vers l'éminence. Nous pensions atteindre la pointe en deux jours. La carte la situait à 5 200 mètres. Au sommet, la vue devrait embrasser l'horizon, « ce sera notre loge », avait dit Léo. Nous ne désirions que cela : un balcon sur l'étendue. Nous jouions là une saynète taoïste : monter vers le ciel pour contempler le vide. D'abord, il fallut franchir une rivière gelée et nos bottes pilèrent la porcelaine. Sur l'autre rive commença l'escalade des caillasses.

Munier, Marie et Léo allaient, écrasés de charges de sherpas. Les vivres, le bivouac, ajoutés au matériel photographique portaient le poids des sacs de mes amis à trente-cinq kilos. Munier s'en coltinait quarante. En outre, il refusait d'abandonner son bagage culturel, le pavé de Schaller. J'avais des scrupules à ne pas contribuer à l'effort collectif. Je compensais mes hontes en prenant des notes que je lisais à mes compagnons à la halte. L'encre gelait, je couchais des phrases trop rapides : « Les versants se strient de veinures noires, coulées de l'encrier de Dieu qui aurait posé sa plume après l'écriture du monde. » Je jure que ce n'étaient pas là des images abusives car les cônes détritiques de 5 000 mètres de haut avaient une forme d'encriers posés sur une table et une patine de jais en éclaboussait les flancs. Très loin, les yacks en suspension faisaient la ponctuation.

Les éboulis cuirassaient de bronze les pentes sombres. La patine reflétait la lumière que nous respirions. Nous allions aveuglés de froid et lavés par le vent. Mes camarades s'asseyaient sur les gradins pour souffler. Les canyons ouvraient des couloirs obscurs. Ils appelaient trois races : le contemplateur, le prospecteur, le chasseur. Nous étions de la première. Chaque vallée nous attirait mais nous ne déviions pas de notre mire. Le soir, nous installâmes les tentes à 4 800 mètres au fond d'un vallon sec et, avant la nuit, gagnâmes une pointe, deux cents mètres plus haut, coiffant une vallée glaciaire. À six heures, un yack se dressa sur la crête opposée, à un kilomètre. Puis un deuxième, et un troisième et ils furent vingt, surgis dans la dernière clarté. Leurs masses découpaient les crénelures d'un château.

C'étaient des totems envoyés dans les âges. Ils étaient lourds, puissants, silencieux, immobiles : si peu modernes ! Ils n'avaient pas évolué, ils ne s'étaient pas croisés. Les mêmes instincts les guidaient depuis des millions d'années, les mêmes gènes encodaient leurs désirs. Ils se maintenaient contre le vent, contre la pente, contre le mélange, contre toute évolution. Ils demeuraient purs, car stables. C'étaient les vaisseaux du temps arrêté. La Préhistoire pleurait et chacune de ses larmes était un yack. Leurs ombres disaient : « Nous sommes de la nature, nous ne varions pas, nous sommes d'ici et de toujours. Vous êtes de la culture, plastiques et instables, vous innovez sans cesse, où vous dirigez-vous ? »

Thermomètre à – 20 °C. Nous autres, les hommes, étions condamnés à ne faire que passer en ces endroits. La majeure partie de la surface de la Terre n'était pas ouverte à notre race. Faiblement adaptés, spécialisés en rien, nous avions notre cortex pour arme fatale. Elle nous autorisait tout. Nous pouvions faire plier le monde à notre intelligence et vivre dans le milieu naturel de notre choix. Notre raison palliait notre débilité. Notre malheur résidait dans la difficulté de choisir où demeurer.

Comment trancher entre nos penchants contraires ? Nous n'étions pas des êtres « privés d'instincts », comme le professaient les philosophes culturalistes, nous étions au contraire encombrés de trop d'instincts, contradictoires. L'homme souffrait de son indétermination génétique : le prix à payer était l'indécision. Nos gènes ne nous imposant rien, il nous restait à choisir entre tous les possibles offerts à notre volonté. Quel tournis ! Quelle malédiction que de pouvoir tout embrasser ! L'homme brûlait de faire ce qu'il redoutait, aspirait à transgresser ce qu'il venait de bâtir, rêvait d'aventures une fois rentré chez lui mais pleurait Pénélope dès qu'il naviguait. Capable de tous les embarquements possibles, il se condamnait à n'être jamais content. Il rêvait de l'« en même temps ». Mais l'« en même temps » n'est pas biologiquement possible, ni psychologiquement souhaitable, ni politiquement tenable.

Certaines nuits, rêvassant sur une terrasse parisienne du cinquième arrondissement, je me voyais au calme dans une chaumière de Provence mais je chassais aussitôt la vision pour imaginer la piste aux aventures. Incapable de me fixer une direction unique, hésitant entre l'arrêt et le mouvement, soumis à l'oscillation, j'enviais les yacks, monstres cadenassés dans leur déterminisme et par là même dotés du contentement d'être ce qu'ils étaient, postés là où ils pouvaient survivre.

Les génies de l'humanité étaient des hommes qui avaient choisi une voie unique, sans dévier. Hector Berlioz voyait dans l'« idée fixe » la condition du génie. Il soumettait la qualité d'une œuvre à l'unité du motif. Si l'on voulait passer à la postérité mieux valait ne pas butiner.

La bête, elle, se cantonnait par nécessité au milieu où le hasard l'avait enfermée. L'encodage la prédisposait à survivre dans son biotope, aussi hostile fût-il. Et cette adaptation la rendait souveraine. Souveraine parce que dénuée d'envie de se trouver ailleurs. L'animal, cette idée fixe.

La température chutait, il fallut partir. Nous laissâmes les yacks. Ils ruminaient, ils ne bougeraient pas. Nous étions les maîtres du monde, mais des maîtres fragiles et tourmentés. Nous étions Hamlet errant sur les remparts.

Nous gagnâmes le camp, rampâmes dans nos sacs de couchage. Avant de baisser les fermetures éclair des tentes, Munier nous lança sa recommandation :

— Ne mettez pas de boules Quies, les loups vont peut-être chanter.

C'était pour entendre des phrases pareilles que je partais en voyage.

Puis la lune se leva et ne put rien pour nous, il faisait – 30 °C sous la toile. Les rêves gelaient.

La Terre et la chair

À quatre heures du matin, le réveil. Le thermomètre affichait – 35 °C. Il y avait quelque chose de stupide à s'extirper du sac de couchage.

Pour ne pas souffrir du froid dans pareilles conditions, il fallait s'organiser. Chaque geste devait répondre à un solfège : trouver son gant, lacer ses chaussures à l'intérieur de son duvet, ranger chaque objet dans le bon ordre, enlever sa moufle pour boucler une sangle, la remettre prestement. Qu'on tarde un peu, le froid saisissait un membre et ne le lâchait que pour en mordre un autre. Le froid rôdait à l'intérieur de l'organisme. Au fil des années, le corps ne s'aguerrit pas. Mais en s'exerçant à des gestes précis, on réduit les souffrances. Munier avait tant de fois replié son bivouac dans les hivers d'Ellesmere ou du Kamtchatka qu'il manœuvrait vite et ne semblait pas trop subir les attaques. Léo agissait par gestes précis. Il fut prêt avant moi, sac bouclé et vêtement ajusté. Marie et moi, plus brouillons, éprouvâmes la douleur d'un réveil en chambre froide et fûmes heureux de nous mettre en marche. Le *Tao* disait que « le mouvement triomphe du froid ». C'était aussi les termes du premier principe de la thermodynamique. Ce matin-là, conformément aux indications de la pensée chinoise et de la physique thermique, nous nous jetâmes de bonne grâce dans l'effort.

Nous montâmes jusqu'à 5 200 mètres par de larges crêtes. Nous étions lents car mal acclimatés. Le petit sommet était une plateforme de pierres plates éclatées par le gel. Le jour se leva et, là-haut, la vue s'ouvrit enfin sur le haut plateau du Chang Tang. C'était une table de mille kilomètres, vibrant de poussière, veinée de marais blancs. La brume faisait horizon. Dans ce vide se tenait de la vie, dissimulée.

J'imaginais de longues traversées d'est en ouest. Il y a des lieux dont le nom sert à rêver, et le Chang Tang remplissait pour moi cette fonction. Parfois, les noms magiques deviennent des titres de tableaux ou de poèmes. Victor Segalen rêva du *Thibet* qu'il n'atteignit jamais et orthographiait ainsi, avec un « h ». Il y voyait un gouffre pour la purification de l'esprit. Puis *Thibet* devint le titre de l'un de ses recueils, déclaration d'amour aux patries inaccessibles. Il exprimait le *Fernweh* germanique, nostalgie des confins où l'on n'ira jamais. Le Chang Tang à mes pieds proposait son néant pour de prochaines aventures : c'était un royaume à prendre, une terre à parcourir à cheval, en colonne, portant fanions. Un jour, nous irions tout droit sur sa face desséchée. J'étais heureux d'avoir vu le plateau de si haut. Je prenais un ferme rendez-vous avec ce que je ne connaîtrais jamais.

Nous restâmes deux heures au sommet et ne vîmes aucune bête, pas même un rapace. Une saignée de terrain indiquait que les Chinois avaient crevé la zone avec des bulldozers. Des prospecteurs de minerai ?

— La région a été vidée, dit Munier, comme chez moi dans les Vosges. Très jeune, dans les années soixante, mon père a alerté ses concitoyens. Il pressentait les désastres. Rachel Carson avait écrit *Printemps silencieux*, pour dénoncer les pesticides. Ils étaient peu nombreux à l'époque à voir poindre la menace. René Dumont, Konrad Lorenz, Robert Hainard : ils prêchaient dans le vide. Mon père se morfondait, on le tenait pour un gauchiste, il en fit une maladie : cancer de la tristesse.

— Il a souffert de la Terre dans sa chair, dis-je.

— Si tu veux, dit Munier.

Nous revînmes en une journée vers le centre du monde, notre lac. Le soir tombait, nous nous assîmes sur la rive après huit heures de marche. Le silence bourdonnait. Les Kunlun, déjà sombres, montaient une garde amicale. Le plateau était vide. Pas de bruit, nul mouvement, aucun parfum. C'était le grand sommeil. Le Tao reposait, lac sans ride. De sa placidité, naissait l'enseignement :

Devant l'agitation fourmillante des êtres ne contemple que leur retour.
Les êtres divers du monde feront retour à leur racine.
Faire retour à la racine, c'est s'installer dans la quiétude.

J'aimais cet hermétisme narcotique. Le *Tao* comme la fumée du havane dessine des énigmes douces. On n'est pas sommé de comprendre grand-chose mais l'engourdissement est aussi voluptueux que la lecture de saint Augustin.

Le monothéisme n'aurait pas pu naître au Tibet. La proposition du Dieu unique avait été forgée dans le Croissant fertile. Des peuples d'éleveurs et d'agriculteurs s'organisaient en masse. Sur le bord des fleuves, les villes apparaissaient. On ne pouvait plus se contenter d'égorger des taureaux pour la déesse mère. Il fallait régir la vie collective, célébrer les moissons et ranger les moutons. On forgea une représentation du monde où furent glorifiés les troupeaux. On inventa une pensée universelle. Le Tao, lui, restait une doctrine pour solitaire, errant sur le plateau. Une foi de loup.

— Lis encore le *Tao* ! me dit Léo.

— *Tous les êtres sont issus de l'Être.*

Aucune antilope au sprint ne vint contredire le poème.

TROISIÈME PARTIE

L'APPARITION

À présent, la déesse. Munier voulait gagner Zadoï, à l'extrême est du Tibet, dans la haute vallée du Mékong. De là nous rejoindrions les massifs où se terraient des panthères survivantes.

— Survivantes à quoi ? dis-je.

— À la propagation de l'homme, dit Marie.

Définition de l'homme : créature la plus prospère de l'histoire du vivant. En tant qu'espèce, rien ne le menace : il défriche, bâtit, se répand. Après s'être étendu, il s'entasse. Ses villes montent vers le ciel. « Habiter le monde en poète », avait écrit un poète allemand au XIXe siècle[1]. C'était un beau projet, un vœu naïf. Il ne s'était pas réalisé. Dans ses tours, l'homme du XXIe siècle habite le monde en copropriétaire. Il a remporté la partie, songe à son avenir, lorgne sur la prochaine planète pour absorber le trop-plein. Bientôt, les « espaces infinis » deviendront sa vidange. Il y avait quelques millénaires, le Dieu de la Genèse (dont les propos avaient été

1. « ... *poétiquement toujours/Sur Terre habite l'homme* ». Hölderlin, *in* « En bleu adorable ».

recueillis avant qu'il ne devînt muet) s'était montré précis : « Soyez féconds, multipliez, remplissez la Terre, et l'assujettissez » (1,28). On pouvait raisonnablement penser (sans offenser le genre clérical) que le programme était accompli, la Terre, « assujettie », et qu'il était temps de donner repos à la matrice utérine. Nous étions huit milliards d'hommes. Il restait quelques milliers de panthères. L'humanité ne jouait plus une partie équitable.

Rien que les bêtes

Munier et Léo avaient séjourné l'année précédente sur la rive droite du fleuve et observé des fauves près d'un monastère bouddhiste. Le seul nom de Mékong justifiait le voyage. Les noms résonnent et nous allons vers eux, aimantés. Ainsi de Samarcande et d'Oulan-Bator. Pour d'autres, Balbec suffisait. Certains tressaillaient même au nom de Las Vegas !

— Tu aimes les noms de lieux ? demandai-je à Munier.

— Mieux les noms d'animaux, dit-il.

— Ton préféré ?

— Le faucon, mon animal totem. Et toi ?

— Baïkal, mon haut lieu.

Nous remontâmes tous les quatre dans les Jeep et pendant deux jours traversâmes à nouveau les glacis par lesquels nous étions venus, « sur les talus alluviaux de l'holocène », aurait dit mon professeur de géomorphologie de l'université de Nanterre-Paris X. L'air froid craquait. Le voile soulevé par nos véhicules était une poussière de moraine, moulue par des glaciers et sédimentée depuis des millions d'années. Dans la géographie, personne ne fait le ménage.

Nous respirions les scories, le ciel avait l'odeur du silex.

Marie filmait le soleil à travers les traînes, levées par les troupeaux. Elle souriait en contemplant le vide. Léo réparait les appareils usés par les chocs, il aimait les systèmes en ordre de marche. Munier marmonnait des noms de bêtes.

La route de Zadoï était en ruine et nous allions au pas. Des relèvements de granit défendaient mollement les plateaux. La piste montait sur une bosse entre deux névés sales : on se félicitait de passer un col. Suivaient des heures de lacets. La terre sentait l'eau froide. Pays sans neige, blanc de poussière. Pourquoi contractais-je un sentiment d'amitié avec ces paysages privés de nuances, ces reliefs de sabre et ces climats brutaux ? J'étais né dans le Bassin parisien, mes parents m'avaient familiarisé avec les atmosphères du Touquet. En Picardie, sous un ciel gris, j'avais visité le village natal de mon père. On m'avait appris à aimer Courbet, la douceur de la Thiérache et de la Normandie. J'étais plus proche de Bouvard et Pécuchet que de Gengis Khan, pourtant, je me sentais chez moi dans ces glacis. En pleine steppe de l'Asie centrale où j'avais souvent séjourné – Turkestan russe, Pamir afghan, Mongolie et Tibet – j'avais éprouvé le sentiment de pousser mes portes. Dès que se levaient les vents, je retrouvais l'air du pays. Deux explications : soit j'avais été un palefrenier mongol dans une vie antérieure et cette hypothèse métempsychique était confirmée par les yeux en amande de feu ma mère. Soit ces aplatissements géographiques reflétaient mon état d'âme. Étant neurasthénique, il me fallait des steppes. Peut-être y aurait-il eu là une théorie géo-psychologique à bâtir. Les hommes accorderaient leur goût géographique à leurs humeurs. Les esprits légers aimeraient les prés fleuris, les cœurs aventureux les falaises de marbre, les âmes noires les sous-bois de la Brenne, les êtres plus épais les socles granitiques.

Peu avant que nous touchions au goudron de l'axe Golmud-Lhasa, un loup surgit. Il trottait le long du talus, cou projeté. Il tourna la tête sans ralentir l'allure, pour s'assurer que nous ne faisions pas mouvement vers lui, et bifurqua à angle droit. Il coupa la route plein nord, vers les contreforts. Au même instant, déboula une centaine d'ânes sauvages, à la course. Ce fut un ballet lent sur une scène géante. Les mouvements de chacun suivaient l'axe d'une chorégraphie : le loup trottait, les ânes couraient, ils passèrent à une cinquantaine de mètres d'un groupe d'antilopes chirous et d'un troupeau de gazelles *procapra* immobilisé dans les oyats. Chaque troupeau se frôlait, aucun ne se mêlait aux autres et les ânes filèrent sans déranger personne. Chez les bêtes, on voisine, on se supporte, mais on ne copine pas. Ne pas tout mélanger : bonne solution pour la vie en groupe.

Le loup coiffa l'arrière du troupeau et s'éloigna sur le glacis à bonne distance. Les loups peuvent couvrir quatre-vingts kilomètres d'une traite. Celui-là semblait savoir où il allait. Les ânes l'avaient repéré. Quelques-uns le surveillaient d'une rotation de l'encolure. Aucun ne semblait paniqué. Dans le monde de la fatalité, proies et fauves se croisent et se connaissent. Les herbivores savent que l'un d'eux y passera un jour et que c'est le prix à payer pour pâturer au soleil. Munier me donna une explication moins vaseuse :

— Les loups chassent en meute avec une stratégie d'attaque et d'épuisement des proies. Mais un loup isolé face à un troupeau ne peut faire grand mal.

Nous approchions du haut Mékong. À cette altitude, le fleuve n'était qu'un serpentin. Un matin, dans un vallon jaune perché à l'altitude du mont Blanc, près d'une ferme hérissée de drapeaux rituels, nous surprîmes trois loups dans la pente, trois malfrats après le casse. Ils remontaient vers la crête, le dernier tenant dans sa gueule un quartier de viande. Les chiens hurlaient à en mourir, sans oser se lancer à leurs trousses. Les chiens, comme les hommes : rage aux lèvres, trouille au ventre.

Les propriétaires se tenaient à la porte et regardaient la scène, bras ballants : « Que faire et qui est coupable ? » semblaient-ils dire. Les trois loups traçaient, fiers, souverains, impunis, irréfutables, comme le soleil. Ils se postèrent sur la crête et le plus jeune d'entre eux dévora la pièce pendant que les deux adultes guettaient, pattes antérieures tendues, côtes saillantes. Nous montâmes vers eux, masqués par un revers. Le temps d'arriver en haut de la pente, ils s'étaient évanouis. Une chevêche battait l'air, un renard jappait, des gazelles rasaient le talus. De loups, nulle trace.

— Ils se sont retirés mais ils ne sont pas loin, glissa Munier.

C'était une bonne définition de la nature sauvage : ce qui est encore là quand on ne le voit plus. Il nous restait le souvenir de trois desperados, trottant dans l'aurore sous l'aboiement des chiens et disparaissant vers d'autres razzias. Un quart d'heure avant que nous ne débouchions, les loups chantaient, répondant à un appel, venu du nord.

— Ils vont rejoindre une meute. Ils ont des points de rendez-vous, dit Munier. Voir un loup me retourne.

— Pourquoi ?

— L'écho des temps sauvages. Je suis né dans la France surpeuplée où la puissance s'épuise et l'espace se réduit. En France, un loup tue une brebis : les éleveurs manifestent. Des panneaux sont brandis : "Non au loup !"

Loups ! ne restez pas en France, ce pays a trop de goût pour l'administration des troupeaux. Un peuple qui aime les majorettes et les banquets ne peut pas supporter qu'un chef de la nuit vaque en liberté.

Déjà les fermiers rentraient dans leur ferme distribuant des coups de pied aux mastiffs. Sur Terre, la gazelle fonce, le loup rôde, le yack roule, le vautour médite, l'antilope dégage, le pika prend le soleil et le chien paie pour tout le monde.

L'amour dans les glacis

La piste avait rejoint un affluent sinuant dans le plateau rocheux, à près de 5 000 mètres. Des tourelles de calcaire hérissaient les rebords du vallon. Des grottes piquetaient ce mur défensif et dessinaient des larmes noires dans la paroi.

— C'est un royaume pour les panthères, dit Munier.

La bergerie où il voulait installer notre camp de base se situait encore à cent kilomètres.

Un chat de Pallas, *Otocolobus manul*, surgit sur un piton au-dessus de la piste, avec sa tête hirsute, ses canines-seringues et ses yeux jaunes corrigeant d'un éclat démoniaque sa gentillesse de peluche. Ce petit félin vivait sous la menace de tous les prédateurs. Il semblait en vouloir à l'Évolution de lui avoir octroyé pareille dose d'agressivité dans un corps si charmant. « N'essayez pas de me caresser ou je vous saute à la gorge », disait sa grimace. Au-dessus de lui, une chèvre bleue était plantée sur une arête, la volute de ses cornes enchâssée entre les crénelures. Ainsi, les bêtes surveillent-elles le monde, comme les gargouilles contrôlent la ville, en haut des beffrois. Nous passons à leur pied, ignorants. Toute la journée ce fut la même gymnastique. Quand nous repérions un animal, nous jaillissions des véhicules, nous rampions, nous braquions les appareils. À peine étions-nous en place que tout le monde avait disparu.

Je n'osais exposer mes conclusions à Léo mais c'était visible : Munier et Marie s'aimaient. En silence, sans transports. Lui, grand et sculptural, possédait les clefs de la lecture du monde et respectait le mystère de cette fille élastique qui ne se livrait pas. Elle, somptueusement caoutchouteuse, mutique, admirait l'homme qui savait des secrets mais ne perçait pas les siens. C'étaient deux jeunes dieux grecs dans de beaux animaux supérieurs. J'étais heureux de les voir ensemble même si c'était par – 20 °C et qu'ils étaient couchés dans un buisson d'épine.

— S'aimer, c'est rester immobile, l'un à côté de l'autre pendant des heures, dis-je.

— Nous sommes faits pour les affûts, confirma Marie.

Ce matin-là, elle filma le chat de Pallas et Munier scruta les replis pour déterminer quel petit chien de prairie allait mourir dans l'arène.

Ainsi donc Munier, dégoûté de l'affront des hommes à la nature, nourrissait-il encore quelques affections pour ses semblables. Il destinait ses sentiments à des bénéficiaires précis et formellement identifiables. J'admirais cet usage ciblé de l'amour. Un usage honnête.

Munier, bien que fort charitable, ne se prétendait pas humaniste. Il préférait la bête en l'œilleton de sa jumelle à l'homme en son miroir et ne plaçait pas l'être humain au sommet de la pyramide du vivant. Il savait que notre race, arrivée récemment dans la maison terrestre, s'en prétendait régente et assurait sa propre gloire par le dégommage intégral de ce qui n'était pas elle.

Mon camarade ne vouait pas son amour à l'idée abstraite de l'homme mais à des récipiendaires réels : ici, les bêtes et Marie. La chair, les os, les poils, la peau : avant les sentiments, il lui fallait quelque chose sous la main.

L'amour dans la forêt

J'avais aimé quelqu'un moi aussi. L'amour avait fait son office : tout le reste avait disparu. C'était une fille tiède et blanche qui vivait dans la forêt des Landes. Nous faisions des promenades dans les allées, le soir. Les pins plantés cent cinquante ans auparavant avaient colonisé les marais, prospéré derrière les dunes et diffusaient un parfum âcre et chaud : une sueur du monde. Les pistes étaient des rubans caoutchouteux sur lesquels on avançait souplement. « Il faut vivre à pas de Sioux », disait-elle. Nous surprenions des bêtes, un oiseau, un chevreuil. Un serpent s'enfuyait. Les hommes de l'Antiquité – muscles de marbre et yeux blancs – voyaient dans ces surgissements d'animaux l'apparition d'un dieu.

« Il est blessé et ne peut pas s'enfuir, il l'a repérée, il va mourir. » Pendant des mois, j'entendis ce genre de phrases. Ce soir-là une araignée errante – « une lycose », disait-elle – avait débusqué un coléoptère capricorne derrière une tige de fougère. « Elle va lui injecter sa dose létale, elle le dévorera. » Comme Munier, elle savait ce genre de choses. Qui lui avait inoculé ces intuitions ? C'était un savoir des âges anciens. L'intelligence de la nature féconde certains êtres sans qu'ils aient accompli d'études. Ce sont des voyants, ils percent les énigmes de l'agencement des choses là où les savants étudient une seule pièce de l'édifice.

Elle lisait dans les buissons. Elle comprenait les oiseaux, les insectes. Quand les oyats s'ouvraient, elle disait : « C'est l'oraison de la fleur à son dieu le soleil. » Elle sauvait des fourmis emportées dans une rigole, des escargots empêtrés dans les ronces, un oiseau à l'aile brisée. Devant un scarabée, elle disait : « C'est une pièce du blason, il mérite notre vénération, il est serti dans le jeu. » Un jour à Paris, sur le parvis de Saint-Séverin, un passereau s'était posé sur sa tête et je m'étais demandé si j'étais digne d'une femme que les oiseaux prenaient pour perchoir. Elle était prêtresse, je la suivais.

Nous vécûmes dans les forêts du soir. Son élevage de chevaux occupait une dizaine d'hectares des Landes sur le flanc ouest d'une piste dont les ornières lui semblaient la meilleure garantie d'une vie dissimulée. Elle avait aménagé une cabane de pin derrière l'orée. Une mare constituait l'axe de la propriété. Les colverts s'y reposaient, les chevaux y buvaient. Autour, une herbe drue perçait le sable que les bêtes foulaient. Tout le confort dans la cabane : un poêle, des livres, un fusil Remington 700, de quoi préparer le café, un auvent pour le boire et une sellerie à l'odeur de sève. Un bas-rouge gardait ce royaume, affûté, tendu comme un chien de Beretta 92 et bien disposé à l'égard de qui se montrait poli. Il aurait égorgé le premier importun. J'en réchappai.

Parfois, on s'asseyait sur les dunes. L'océan pulsait sa rage et les vagues s'écroulaient, jamais lassées. « Il doit y avoir un vieux différend entre la mer et la terre. » Je disais des choses comme cela, qu'elle n'écoutait pas.

Le nez dans ses cheveux qui sentaient le buis, je la laissais dérouler ses théories. L'homme était apparu il y a quelques millions d'années sur la Terre. Il avait débarqué sans invitation, une fois la table dressée, les forêts déployées et les bêtes divagantes. La révolution néolithique, comme toute révolution, avait sonné la Terreur. L'homme s'était autoproclamé chef du politburo du vivant, s'était propulsé au sommet de l'échelle et avait imaginé une flopée de dogmes pour légitimer sa domination. Tous défendaient la même cause : lui-même. « L'homme est la gueule de bois de Dieu ! » disais-je. Elle n'aimait pas ces formules. Elle m'accusait de lancer des pétards inutiles.

Elle m'avait initié à cette idée que j'avais exposée à Léo sur les dunes tibétaines. Les bêtes, les plantes, les êtres unicellulaires et le néocortex sont les fractales du même poème. Elle me parlait de la soupe initiale : il y avait eu, il y a quatre milliards et demi d'années, une matière principielle, barattée dans les eaux. Le Tout était antérieur aux parties. Du brouet, était sorti quelque chose. Une séparation s'était produite, puis une bifurcation des formes et une complexification de chacune. Elle vénérait toute bête comme un éclat du miroir. Elle ramassait une dent de renard, une plume de héron, un rostre de seiche et murmurait en contemplant ses tessons : « Nous procédons du Même. »

Sur la dune à genoux, elle disait : « Elle va retrouver sa colonne, elle a été attirée par le suc de l'orpin, les autres sont passées au plus facile. »

Cette fois c'était une fourmi qui rejoignait sa procession après un crochet vers un bouton jaune. D'où venait son infinie tendresse pour la minutie des bêtes ? « De leur volonté de bien faire, disait-elle, de leur précision. Nous autres, ne sommes pas sérieux. »

En été, le ciel était clair. Le vent désordonnait la houle, un nuage naissait du remous. L'air était chaud, la mer folle, le sable mou. Sur la plage, les corps humains étaient allongés. Le peuple français avait grossi. La faute des écrans ? Depuis les années soixante, les sociétés s'étaient assises. Depuis la mutation cybernétique, les images défilaient devant des corps immobiles.

Un avion passait dans le ciel avec une banderole de publicité pour un site de rencontres adultères. « Imaginerait-on le pilote survolant la plage et voyant sa femme allongée avec un monsieur rencontré sur le site », disais-je.

Elle fixait les goélands qui surfaient dans le vent tenant le *swell*, plein soleil.

On rentrait à la cabane par les pistes souples. Ses cheveux à présent sentaient le cierge. Pour elle, les arbres bruissaient de froissements pleins de sens. Les feuilles étaient un alphabet. « Les oiseaux ne vocalisent pas pour la gloriole, disait-elle. Ils chantent des hymnes patriotiques ou des sérénades : je suis chez moi, je t'aime. » Nous arrivions dans la cabane et elle débouchait un vin de Loire, de sable et de brume. Je buvais à mort, le venin rouge me gonflait les veines. La nuit montait en moi. Une chouette effraie criait. « Je la connais, c'est celle du quartier, le génie de la nuit, le général en chef des arbres morts. » C'était l'une de ses obsessions : refaire une classification des êtres vivants, non plus selon la méthode structurelle des parentèles de Linné, mais selon un ordre transversal qui rassemblerait les dispositions des bêtes et des plantes confondues. Il y avait ainsi le génie de la voracité – que partageraient le requin et la plante carnivore –, le génie de la détente – apanage de l'araignée sauteuse ou du kangourou –, le génie de la longévité – blason de la tortue ou du séquoia –, celui de la dissimulation – incarné par le caméléon ou le phasme. Peu importait que ces êtres vivants n'appartinssent pas au même phylum biologique du moment qu'ils fussent dotés des mêmes talents. Ainsi concluait-elle qu'un coucou et une douve, par leur science de l'opportunité et la fine connaissance de leurs victimes, sont plus semblables l'un à l'autre qu'ils ne sont proches de certains membres de leur propre famille. Le monde vivant déployait devant elle la panoplie des stratégies de la guerre, de l'amour et du mouvement.

Elle se levait pour rentrer les chevaux sous l'abri. C'était une vision préraphaélite : une femme lente, dure, claire et précise, allant sous la lune, suivie de son chat, d'une oie, de chevaux sans licol, et d'un chien. Manquait une panthère sous les constellations. Tous glissaient, la tête haute, sans frôlements ni bruit, sans se toucher, parfaitement alignés et parfaitement distants, certains de leur direction. Une troupe en ordre. Les bêtes s'étaient mises en mouvement comme des ressorts, au plus léger frémissement de leur maîtresse. Elle était une sœur de saint François d'Assise. Si elle avait cru en Dieu, elle aurait rejoint un ordre de la pauvreté et de la mort, un communisme mystique et nocturne où l'on se serait adressé à Dieu sans les intermédiaires de la cléricature. D'ailleurs, son commerce avec les bêtes était une prière.

Je la perdis. Elle ne voulut pas de moi parce que je refusais de me livrer pieds et poings liés à l'amour de la nature.

Nous aurions vécu dans un domaine, dans une forêt profonde, une cabane ou une ruine, dévolues à la contemplation des bêtes. Le rêve s'évanouit et je la vis s'éloigner aussi doucement qu'elle s'était avancée, flanquée de ses bêtes dans la forêt du soir. Je repris ma route, multipliant les voyages, sautant de l'avion pour reprendre le train, et glapissant, de conférence en conférence (et d'une voix pénétrée), que l'homme aurait tout intérêt à cesser de s'agiter. Je courais la Terre et à chaque fois que je croisais une bête, c'était son visage évanoui qui m'apparaissait. Je la suivais partout. Quand Munier m'avait parlé de la panthère des neiges, sur les bords de la Moselle, il ne savait pas qu'il me proposait d'aller la retrouver.

Si je croisais la bête, mon seul amour apparaîtrait, incorporé à la panthère. J'offrirais chacune de mes rencontres à son souvenir défait.

Un chat dans une gorge

Zadoï passa et la piste traversa une gorge à 4 600 mètres d'altitude. Nous étions à la bergerie de Bapo, sur la rive gauche du Mékong, à cinq cents mètres en retrait de la berge. Plus tard, nous baptiserions l'endroit le « canyon des panthères ». Trois baraques de torchis grandes comme des cabanons de plage commandaient l'entrée d'un défilé creusé dans le karst. Les crêtes blanches mangées d'un lichen lie-de-vin culminaient à plus de 5 000 mètres et s'ouvraient sur d'immenses déclivités où pâturaient les troupeaux. Le filet d'eau gelé s'exfiltrait entre les parois et dessinait trois méandres avant de se jeter dans le fleuve. On marchait vingt minutes pour en gagner les grèves où les yacks domestiques se dirigeaient chaque matin en rêvant de trouver plus gras pâturage que la veille.

Pas d'eau courante, pas d'électricité, pas de chauffage. Le vent semait les meuglements. Les chiens montaient une garde jalouse. La piste courait sous le talus, parallèle au fleuve, apportant parfois une visite. La Jeep de l'éleveur de yacks constituait l'espoir d'une excursion dans le monde moderne, en lieu et place de Zadoï, à cinquante kilomètres à l'est.

La famille de nomades passait l'hiver ici, régnant sur des nuits à – 20 °C et sur deux cents yacks, en attendant que le printemps revienne et que le vent se calme. Les falaises constituaient un paradis pour la panthère. Les cavités offraient des replis. Les yacks et les barhals bleus offraient les provisions de bouche. Les hommes, eux, ne faisaient pas les malins. Nous allions séjourner ici tous les quatre pendant dix jours.

Les trois enfants étaient secs comme des cravaches. La nervosité les protégeait des températures négatives. Gompa, six ans, et ses deux grandes sœurs, Jisso et Djia aux yeux fendus et aux dents blanches, conduisaient les bêtes dans les alpages à l'aube et les ramenaient au campement le soir. Ils passaient la journée dans les rafales à courir le massif, pilotant des animaux six fois plus volumineux qu'eux. Ils avaient vu la panthère au moins une fois dans leur vie de dix ans. En tibétain, panthère des neiges se dit *Saâ*, et les mômes prenaient soin de lancer le mot très fort, comme une interjection, avec force grimaces et les index ramenés devant la bouche pour figurer les crocs. Le genre d'enfants qu'on n'endort pas avec les contes de Perrault. Parfois, dans une vallée du haut Mékong, la panthère raflait un petit enfant, nous avait dit le père.

Tougê, chef de famille, âgé de cinquante ans, nous attribua la plus petite des bâtisses. Les conditions d'un luxe précis y étaient rassemblées : la porte s'ouvrait sur des falaises où rôdaient les bêtes. Les chiens nous avaient adoptés, un poêle chauffait la pièce. Devant le camp, l'eau de la rivière coulait une heure par jour, au soleil le plus chaud. Parfois, les enfants nous rendaient visite. Heures de froid, de silence et de solitude, paysage immuable, ciel de pierre, ordre minéral et températures négatives : jours promis à la stabilité. Nous connaissions notre chance.

Nos heures s'équilibrèrent alors entre les marches forcées et les heures d'hibernation.

Le soir, nous rendions visite à la famille dans la baraque voisine. Derrière la porte de bois régnait une tiédeur obscure. La mère barattait le thé au beurre, rythmant le silence. Au Tibet, les pièces familiales sont des ventres chauds où racheter les jours de grésil. Un chat dormait, recelant dans ses veines le gène dilué de la panthère : pour avoir choisi de ronfler au chaud, il ne connaîtrait plus la jouissance de saigner un yack. Son lointain parent, le lynx, continuait à vivre dehors, préférant la tourmente à la torpeur. Un bouddha dans ses dorures chatoyait à la lueur des lampes à huile et le bourdonnement de l'air nous engourdissait suffisamment pour que nous supportions de nous regarder les uns les autres sans prononcer un mot. Nous ne désirions rien. Bouddha avait gagné : son nihilisme infusait l'engourdissement. Le père égrainait son chapelet. Le temps passait. Le silence était la marque de notre dévotion à son égard.

Le matin, nous prenions le chemin du canyon. Munier nous postait sur un banc de rocher ou au sommet d'une crête, par-dessus le défilé. Parfois, nous nous séparions en deux groupes, Munier emmenait Marie dans un repli voisin. Dans le lointain, le Mékong tressait des chevelures blanches.

Nous attendions qu'apparaisse celle pour qui nous étions venus, la panthère des neiges, « once » de son nom scientifique, l'impératrice qui avait fait allégeance à ce canyon et dont nous venions admirer les apparitions publiques.

Les arts et les bêtes

Il restait 5 000 panthères dans le monde. Statistiquement, on comptait davantage d'êtres humains vêtus de manteaux de fourrure. Les onces se terraient dans les massifs centraux, du Pamir afghan au Tibet oriental, de l'Altaï à l'Himalaya. L'aire de répartition correspondait à la carte des aventures historiques de la haute Asie. L'expansion de l'empire mongol, les raids psychiatriques du baron Ungern-Sternberg, les courses des moines nestoriens à travers la Sérinde, les efforts soviétiques aux périphéries de l'Union, les campagnes archéologiques de Paul Peillot au Turkestan : ces mouvements couvraient la cartographie de la panthère. Les hommes s'étaient comportés là comme des fauves très méritants. Munier, lui, patrouillait depuis quatre ans sur la bordure orientale de la zone. Les chances restaient minces d'apercevoir une ombre dans un espace grand comme un quart de l'Eurasie. Pourquoi mon camarade ne s'était-il pas spécialisé dans le portrait humain, métier d'avenir. Un milliard et demi de Chinois contre 5 000 panthères : ce garçon cherchait la difficulté.

Les vautours se relayaient, sentinelles du requiem. Les

crêtes recevaient le jour en premier. Un faucon aspergeait le vallon de sa bénédiction. Le tour de garde des oiseaux charognards m'hypnotisait. Ils veillaient à ce que tout se passât bien sur Terre : c'est-à-dire que la mort emporte son lot de bêtes et pourvoie les rations. En bas, sur les pentes rapides qui biseautaient la gorge, les yacks broutaient. Couché dans les herbes, à l'affût calme et froid, Léo scrutait chaque rocher à la lunette. J'étais moins minutieux. La patience a ses limites et les miennes s'arrêtaient au vallon. J'attribuais à chacun des animaux une place sur l'échelle sociale du royaume. La panthère était la régente et son invisibilité confirmait son statut. Elle régnait et n'avait donc pas besoin de se montrer. Les loups vaquaient en princes félons, les yacks faisaient de gros bourgeois chaudement vêtus, les lynx des mousquetaires, les renards des hobereaux de province tandis que les chèvres bleues et les ânes incarnaient le peuple. Les rapaces, eux, symbolisaient les prêtres, maîtres du ciel et de la mort, ambigus. Ces ecclésiastiques à livrée de plumes n'étaient pas contre que quelque chose tournât mal pour nous.

Le canyon serpentait entre des tourelles percées de grottes, des arches crevées d'ombre. Le paysage s'argentait au soleil. Pas un arbre, pas une prairie. Pour la douceur, toujours perdre de l'altitude.

Les crêtes n'arrêtaient jamais le vent. Les rafales disposaient les nuages et régissaient des éclairages albuminés. C'était un décor pour Louis II de Bavière peint par un graveur chinois, amateur de fantômes. Chèvres bleues et renards d'or glissaient sur les pentes, traversaient les brumes, parachevant la composition. Toiles composées, il y a des millions d'années, par les efforts de la tectonique, de la biologie et de la destruction.

Le paysage était mon école d'art. Pour apprécier la beauté des formes, il faut une éducation de l'œil. Les études de géographie m'avaient donné les clefs des vallées alluviales et des auges glaciaires. L'école du Louvre m'aurait initié aux nuances du baroque flamand et du maniérisme italien. Je ne trouvais pas que la production des hommes surclassât la perfection des reliefs, ni les vierges florentines la grâce des chèvres bleues. Pour moi, Munier tenait de l'artiste davantage que du photographe.

De la panthère et des félins, je ne connaissais que les représentations d'artistes. Ô tableaux, ô saisons ! Aux temps romains, la bête vadrouillait sur la frontière australe de l'Empire, incarnant l'esprit de l'Orient. Cléopâtre et la panthère se partageaient le titre de reine des confins. À Volubilis, à Palmyre, à Alexandrie, les mosaïstes avaient déployé des panoplies d'animaux sur des parterres où les panthères dansaient la ronde orphique avec des éléphants, des ours, des lions et des chevaux. Le motif tacheté – « la robe bigarrée », disait Pline l'Ancien au Ier siècle après Jésus-Christ – était un blason de puissance et de volupté. Pline croyait savoir que « ces animaux sont très ardents en amour[1] ». Passait une panthère. Déjà le Romain voyait le tapis où se rouler avec une esclave.

Mille huit cents ans plus tard, les félins fascinaient les peintres romantiques. Dans les salons 1830, le public de la Restauration découvrait la sauvagerie. Delacroix avait peint

1. Pline l'Ancien, *Histoire naturelle,* Livre huit.

les fauves de l'Atlas fouillant l'encolure de chevaux. Il avait donné des tableaux furieux, de muscles et de fumée, où volait la poussière malgré la matière épaisse. Le romantisme fichait sa gifle à la mesure classique. Delacroix avait cependant réussi un tigre au repos dont la force s'abandonnait, avant les carnages. La peinture s'offrait à la brutalité, cela changeait des vierges d'antan.

Jean-Baptiste Corot avait conçu une panthère bizarrement proportionnée, chevauchée par un Bacchus nourrisson avançant vers une femme. Ce tableau étrangement boiteux révélait une terreur masculine. Redoutant l'ambiguïté, l'homme n'aime point qu'un monstre ronronnant fasse joujou avec un bébé et une grasse bacchante. C'est que la femme est dangereuse. On ne saurait trop se méfier. À travers la panthère, l'artiste visait la fée fatale, la vierge en cuissarde, la Vénus cruelle ! C'est connu, les carnassières ne font qu'une bouchée des hommes et il faut se garder de leur beauté. La Milady d'Alexandre Dumas était de ce genre. Un jour, insultée par son beau-frère, elle « poussa un rugissement sourd, et se recula jusque l'angle de la chambre, comme une panthère qui veut s'acculer pour s'élancer[1] ».

Le mythe mélusinien inspira la fin de siècle. Le Belge Fernand Khnopff – demi-onirique et demi-symboliste – représenta, dans une toile cryptée de 1896 intitulée *Des caresses*, une panthère à tête de femme cajolant un amant, déjà pâle. On n'ose imaginer le sort du garçon.

Des préraphaélites avaient convoqué le fauve dans leurs dégoulinades. Des princesses en déshabillé ou des demi-

1. Alexandre Dumas, *Les Trois Mousquetaires.*

dieux épuisés avançaient dans une lumière de sucre, flanqués de panthères réduites à des mannequins portant pelage tacheté. Ces peintres célébraient la seule beauté du motif. Edmund Dulac ou Briton Riviere faisaient de l'animal une descente de lit pour échouage de rêves ultra-stylés.

Puis la force de la bête avait obsédé les maîtres de l'art nouveau. La perfection de sa race convenait à l'esthétisme du muscle et de l'acier. Jouve l'avait bandée comme un arc. La panthère devenait une arme. Mieux ! une Bentley de Paul Morand. Elle incarnait le mouvement parfait, sans pitié ni frottements. Contrairement aux jaguars, elle ne s'écrasait pas contre les arbres. Grâce aux statues archi-léchées de Rembrandt Bugatti et de Maurice Prost, le félin sortait du laboratoire de l'Évolution, digne de se lover au pied d'une brunette 1930 tenant sa coupe de champagne devant ses petits seins pointus.

Cent ans plus tard, le motif « léopard » s'affichait sur les sacs à main, et les papiers peints de Palavas-les-Flots. Chaque âge a son élégance, chaque époque fait ce qu'elle peut. La nôtre prenait le soleil en slip.

Munier n'était pas indifférent au versement de la bête dans les arts. Lui-même battait le rappel des fauves. Des esprits monotones reprochaient à notre ami de saluer la beauté pure, et elle seule. C'était considéré comme un crime dans une époque d'angoisse et de moralité. « Et le message ? » lui disait-on, « et la fonte des glaces ? ». Dans les livres de Munier les loups flottaient en plein vide arctique, les grues du Japon s'emmêlaient dans leurs danses et des ours légers comme des flocons disparaissaient derrière la vapeur. Nulle tortue étouffée par les sacs en plastique, rien que des bêtes en leur beauté. Pour un peu, on se serait cru dans l'Éden. « On m'en veut d'esthétiser le monde animal, se défendait-il. Mais il y a suffisamment de témoins du désastre ! Je traque la beauté, je lui rends mes devoirs. C'est ma manière de la défendre. »

Chaque matin, dans le vallon, nous attendions que la beauté descende les Champs-Élysées.

La première apparition

Nous savions qu'elle rôdait. Parfois, je la voyais : ce n'était qu'un rocher, ce n'était qu'un nuage. Je vivais dans son attente. Au cours de son séjour au Népal en 1973, Peter Matthiessen n'avait jamais vu la panthère. À qui lui demandait s'il l'avait rencontrée, il répondait : « Non ! N'est-ce pas merveilleux[1] ? » Eh bien non *my dear Peter* ! ce n'était pas « merveilleux ». Je ne comprenais point qu'on pût se féliciter des déconvenues. C'était une pirouette de l'esprit. Je voulais voir la panthère, j'étais venu pour elle. Car son apparition serait mon offrande à cette femme dont j'étais séparé. Et même si ma politesse, c'est-à-dire mon hypocrisie, faisait croire à Munier que je le suivais pour la seule admiration de ses travaux de photographe, je désirais une panthère. J'avais mes raisons, elles étaient intimes.

Sans relâche, les trois amis scrutaient les lieux au télescope. Munier pouvait rester une journée à inspecter des parois, centimètre par centimètre. « Il me suffirait d'apercevoir une trace d'urine sur un rocher », disait-il. Le deuxième

1. Peter Matthiessen, *Le léopard des neiges*.

soir de notre arrivée dans le canyon nous revenions vers le campement des Tibétains quand nous la croisâmes. Le ciel diffusait encore une faible lumière. Munier la repéra, à cent cinquante mètres de nous, plein sud. Il me passa la longue-vue, m'indiqua précisément l'endroit où viser, mais je mis un long moment à la détecter c'est-à-dire à comprendre ce que je regardais. Cette bête était pourtant quelque chose de simple, de vivant, de massif mais c'était une forme inconnue à moi-même. Or la conscience met du temps à accepter ce qu'elle ne connaît pas. L'œil reçoit l'image de pleine face mais l'esprit refuse d'en convenir.

Elle reposait, couchée au pied d'un ressaut de rochers déjà sombres, dissimulée dans les buissons. Le ruisseau de la gorge serpentait cent mètres plus bas. On serait passé à un pas sans la voir. Ce fut une apparition religieuse. Aujourd'hui, le souvenir de cette vision revêt en moi un caractère sacré.

Elle levait la tête, humait l'air. Elle portait l'héraldique du paysage tibétain. Son pelage, marqueterie d'or et de bronze, appartenait au jour, à la nuit, au ciel et à la terre. Elle avait pris les crêtes, les névés, les ombres de la gorge et le cristal du ciel, l'automne des versants et la neige éternelle, les épines des pentes et les buissons d'armoise, le secret des orages et des nuées d'argent, l'or des steppes et le linceul des glaces, l'agonie des mouflons et le sang des chamois. Elle vivait sous la toison du monde. Elle était habillée de représentations. La panthère, esprit des neiges, s'était vêtue avec la Terre.

Je la croyais camouflée dans le paysage, c'était le paysage qui s'annulait à son apparition. Par un effet d'optique digne du zoom arrière cinématographique, à chaque fois que mon œil tombait sur elle, le décor reculait, puis se résorbait tout entier dans les traits de sa face. Née de ce substrat, elle était devenue la montagne, elle en sortait. Elle était là et le monde s'annulait. Elle incarnait la *Physis* grecque, *natura* en latin, dont Heidegger donnait cette définition religieuse : « ce qui surgit de soi-même et apparaît ainsi[1] ».

En somme, un gros chat avec des taches jaillissait du néant pour occuper son paysage.

Nous restâmes jusqu'à la nuit. La panthère somnolait, épargnée de toute menace. Les autres animaux paraissaient de pauvres créatures en danger. Le cheval rue au premier geste, le chat détale au moindre bruit, le chien perçoit une odeur inconnue et se lève d'un bond, l'insecte fuit vers sa cache, l'herbivore redoute les mouvements derrière lui et l'homme lui-même n'oublie jamais de regarder dans les coins en entrant dans une pièce. La paranoïa est une condition de la vie. Mais la panthère était certaine de son absolutisme. Elle reposait, absolument abandonnée car intouchable.

Dans ma jumelle, je la vis s'étirer. Elle se recoucha. Elle régnait sur sa vie. Elle était la formule du lieu. Sa seule présence signifiait son « pouvoir ». Le monde constituant son trône, elle emplissait l'espace là où elle se tenait. Elle incarnait ce mystérieux concept du « corps du roi ». Un vrai souverain se contente d'être. Il s'épargne d'agir et se dispense d'apparaître. Son existence fonde son autorité. Le président d'une démocratie, lui, doit se montrer sans cesse, animateur du rond-point.

À cinquante mètres, des yacks broutaient, impavides. Ils

1. Martin Heidegger, *Remarques sur Art-Sculpture-Espace.*

étaient bienheureux car ils ne savaient pas leur prédateur tapi dans les rochers. Aucune proie ne pourrait psychiquement supporter l'idée qu'elle côtoie la mort. La vie est vivable si le péril est ignoré. Les êtres naissent avec leurs propres œillères.

Munier me passa la lunette la plus puissante. Je scrutai la bête jusqu'à ce que mon œil se dessèche dans le froid. Les traits de la face convergeaient vers le museau, en lignes de force. Elle tourna la tête, pleine face. Les yeux me fixèrent. C'étaient deux cristaux de mépris, brûlants, glacials. Elle se leva, tendit l'encolure vers nous. « Elle nous a repérés, pensai-je. Que va-t-elle faire ? Bondir ? »

Elle bâilla.

Voilà l'effet de l'homme sur la panthère du Tibet.

Elle nous tourna le dos, s'étira, disparut.

Je rendis la lunette à Munier. C'était le plus beau jour de ma vie depuis que j'étais mort.

— Ce vallon n'est plus le même à présent que nous y avons vu la panthère, dit Munier.

Lui aussi était royaliste, croyant à la consécration des lieux par le séjour de l'Être. Nous redescendîmes dans la nuit. J'avais attendu cette vision, je l'avais reçue. Plus rien ne serait désormais équivalent en ce lieu fécondé par la présence. Ni en mon for intérieur.

Se coucher dans l'espace-temps

Dès lors, tous les matins, sans nous éloigner de plus de six kilomètres du campement tibétain, nous gagnâmes les hauteurs. Nous savions la panthère dans la place, nous pouvions l'apercevoir encore. Tout le jour nous battions les crêtes, fournissant les mêmes efforts que les chasseurs de safari. Nous marchions, cherchions les traces, nous embusquions. Parfois nous nous séparions en deux groupes, et communiquions par radio le résultat des fouilles. Nous traquions le mouvement le plus ténu. Un vol d'oiseau pouvait suffire.

— L'année dernière, raconta Munier, je désespérais de voir la panthère. J'étais en train de replier mon affût quand un grand corbeau donna l'alerte sur la crête. Je restai pour l'observer, et soudain, la panthère apparut. Le corbeau me l'avait signalée.

— Par quel étrange mouvement de l'âme en arrive-t-on à tirer une balle dans la tête d'un être pareil ? dit Marie.

— "L'amour de la nature" est l'argument des chasseurs, dit Munier.

— Faut-il laisser les chasseurs entrer au musée, dis-je. Par amour de l'art ils lacéreraient un Vélasquez. Mais par amour d'eux-mêmes, étrangement, ils sont peu nombreux à se tirer une balle dans la bouche.

En une seule de ces journées nous avions amassé des centaines de visions pour les objectifs de Marie, les plaques de Munier, nos propres regards, nos seuls souvenirs, notre édification. Pour notre salut peut-être ? Le premier qui la voyait signalait une bête aux autres. Aussitôt que nous l'apercevions, une paix montait en nous, un saisissement nous électrisait. L'excitation et la plénitude, sentiments contradictoires. Rencontrer un animal est une jouvence. L'œil capte un scintillement. La bête est une clef, elle ouvre une porte. Derrière, l'incommunicable.

Ces heures de vigie se situaient aux antipodes de mon rythme de voyageur. À Paris, je butinais des passions désordonnées. « Nos vies hâtives », avait dit un poète. Ici, dans le canyon, nous scrutions les paysages sans garantie de moissons. On attendait une ombre, en silence, face au vide. C'était le contraire d'une promesse publicitaire : nous endurions le froid sans certitude d'un résultat. Au « tout, tout de suite » de l'épilepsie moderne, s'opposait le « sans doute rien, jamais » de l'affût. Ce luxe de passer une journée entière à attendre l'improbable !

Je me jurais, une fois rentré en France, de continuer à pratiquer l'affût. Nul besoin de se trouver à 5 000 mètres dans l'Himalaya. La grandeur de cet exercice partout praticable était de toujours procurer ce qu'on exigeait de lui. À la fenêtre de sa chambre, sur la terrasse d'un restaurant, dans une forêt ou sur le bord de l'eau, en société ou seul sur un banc, il suffisait d'écarquiller les yeux et d'attendre que quelque chose surgisse. On ne l'aurait jamais noté si l'on ne s'était pas maintenu aux aguets. Et si rien n'arrivait, la qualité du temps passé s'était trouvée accrue par l'attention portée. L'affût était un mode opératoire. Il fallait en faire un style de vie.

Savoir disparaître relevait de l'art. Munier s'y était entraîné pendant trente ans, mêlant l'annulation de soi à l'oubli du reste. Il avait demandé au temps de lui apporter ce que le voyageur supplie au déplacement de lui fournir : une raison d'être.

On se tient aux aguets, l'espace ne défile plus. Le temps impose ses nuances, par touches. Une bête vient. C'est l'apparition. Il était utile d'espérer.

Mon camarade avait attendu la venue des bœufs musqués de Laponie, des loups de l'Arctique, des ours d'Ellesmere, des grues japonaises. Il s'était gelé des orteils dans la neige, posté jour et nuit, fidèle aux directives des snipers : mépriser la douleur, ignorer le temps, ne pas céder aux fatigues, ne jamais douter de l'issue, ni décrocher avant d'avoir obtenu ce que l'on désirait.

Dans les futaies de Carélie, les tireurs d'élite de l'armée finlandaise avaient tenu en échec les armées soviétiques pendant la guerre de 1939-1940 malgré leur infériorité numérique. Ils avaient appliqué dans la guerre les techniques de la chasse en forêt froide. Une poignée d'entre eux s'était fondue à la taïga, à l'affût du bolchevique, par – 30 °C, l'index sur la détente d'un fusil de précision, le magistral M.28. Ils mâchaient de la neige pour ne pas exhaler de vapeur. Ils se déplaçaient, s'embusquaient, logeaient une balle dans la tête d'un tankiste russe, disparaissaient, faisaient feu à nouveau, mobiles, indétectables, furtifs donc vraiment dangereux. Ils avaient fait de la forêt un enfer.

Le plus célèbre d'entre eux, Simo Häyhä, petit soldat d'un mètre cinquante, avait tué plus de cinq cents Rouges dans les forêts gelées. On l'avait surnommé « la mort blanche ». Un jour il s'était fait repérer par un sniper soviétique. La balle de Mosin-Nagant M91/30 russe lui avait emporté la mâchoire mais il avait survécu à la blessure, défiguré.

Les snipers finlandais se prétendaient désinvoltes, opiniâtres, équanimes : vertus de monstres froids. En finlandais le mot *sisu* désigne l'association des qualités de constance et de résistance. Comment traduire le terme ? « Abnégation spirituelle », « oubli de soi », « résistance mentale » ? Dans le catalogue de l'héroïsme humain, depuis le capitaine Achab traquant sa baleine blanche, nul autre que le sniper finlandais n'incarnait aussi bien la figure de l'homme aimanté par un unique objet.

Munier était invisible et patient comme un sniper finlandais. Il vivait dans le *sisu*. Mais il ne tuait pas, n'en voulait à personne et aucun socialiste ne lui avait encore tiré dessus.

Dans l'armée française, le 13e régiment de dragons-parachutistes maîtrisait l'art du camouflage. Les dragons s'infiltraient en territoire ennemi pour espionner les mouvements. Ils s'incorporaient au décor, ne produisant aucun déchet, n'exhalant aucune odeur, restant des jours entiers en poste. Recouvert de ses treillis, les objectifs enturbannés de haillons kaki, Munier ressemblait à un de ces hommes-sapin, hommes-rocher, hommes-muret. Une différence notable : panthères du Tibet et loups arctiques possédaient des équipements sensoriels mieux affûtés que les Mahométans belliqueux.

Parfois, en plein exercice de *sisu*, allongé aux côtés de Munier, je rêvassais idiotement : j'imaginais un dragon-parachutiste embusqué dans une clairière. Un couple d'amants débouchait, excité d'avoir enfin déniché un endroit solitaire. Le monsieur renversait la dame, sur un dragon camouflé en rocher. Quel destin pour un agent du renseignement ! S'enfouir dans les talus pour percer les secrets d'État et surprendre Maurice pelotant Marceline. Munier ne me racontait rien. Je le soupçonnais d'avoir été témoin de ces tripotages.

Pour l'instant, le temps passait, et lui seul. Il arriva qu'un gypaète tournât, dans l'espoir que nous fussions morts. Un loup trottait, ombre sans honte. Une fois passa un corbeau, tourment dans la mémoire du ciel. Une autre fois, un chat de Pallas sortit la tête de sa cachette, offusqué et charmant. Notre envie de le caresser semblait le mettre en colère. Nous fouillâmes les vallons pendant trois jours entiers. La panthère pouvant être un rocher et chaque rocher une panthère, il s'agissait d'être minutieux. Je croyais la voir partout : sur une tache d'herbe, derrière un bloc, dans l'ombre. L'idée de la panthère m'avait envahi. C'était un phénomène psychologique ordinaire : un être vous obsède, il apparaît partout. C'est pourquoi les hommes très épris d'une seule femme aimeront toutes les autres, cherchant à vénérer la même essence dans la diversité des manifestations. Allez expliquer cela à l'épouse qui vous pince : « Chérie, c'est toi que j'aimais dans chacune ! »

Des mots pour le monde

Munier souffrait du « syndrome de Moby Dick », dans sa forme pacifique et continentale. Il cherchait une panthère en place de la baleine et voulait la photographier au lieu de la harponner. Mais il brûlait du même feu que le héros d'Herman Melville.

Pendant que mes amis détaillaient le monde à la lunette, j'étais à l'affût d'une pensée, pire ! d'un bon mot. J'écrivais des aphorismes dès que je le pouvais. L'occasion était difficile car les gerçures faisaient saigner les doigts. Je tenais les *Histoires naturelles* de Jules Renard pour le plus bel hommage qu'un homme muni d'un calepin puisse rendre à la nature. Jules Renard bénissait la joliesse du monde avec la seule chose dont il disposait : les mots. Ses leçons de choses redessinaient la vie, recréaient le peuple de l'herbe, du ciel et des étangs. Il voyait une araignée : « Toute la nuit, au nom de la lune elle appose ses scellées », croisait un cafard : « Noir et collé comme un trou de serrure », débusquait un lézard : « Fils spontané de la pierre fendue ». Je me forçais à croire que ces pensées surgissaient à la conscience de leur auteur, déjà formulées. Comme si un appareil photographique avait été capable de déclencher seul son obturateur.

Jules Renard avait décrit des campagnes de bocages, et des bêtes d'Épinal. Que lui aurait inspiré le monde de Munier, de glace et de loups ? Je m'essayais aux « histoires naturelles ». Je lisais mes aphorismes à mes compagnons et récoltais un sourire gêné ou une approbation polie :

Gazelle : la femme pressée fuse, pensée dans l'esprit du lieu.

Âne sauvage : chez lui, la dignité des incompris.

Méandres : à force de regarder les rivières du Tibet, les Chinois inventèrent les nouilles.

Dieu s'est servi de la panthère comme buvard pour essuyer l'encre de sa plume.

Grand duc : le soleil finit par se lever pour voir qui a chanté toute la nuit.

— Et l'homme ? demanda Marie, pas le droit à un aphorisme ?

— L'homme ? dis-je. Dieu a joué aux dés, Il a perdu.

Le pacte du renoncement

La journée s'achevait, nous allions lever l'affût. Le Mékong gisait, flanc de poisson mort électrisé de froid. Le soleil se couchait, les méandres étaient en aluminium, l'ombre montait, touchait les crêtes, éteignant les sommets un par un. Quelques pointes – les plus hautes – restaient illuminées. La température tombait vite. C'était la grande pitié du froid et de la mort. Qui songeait aux luttes des bêtes dans le noir ? Avaient-elles toutes gagné un refuge où tenir par – 35 °C ? Nous redescendions vers la bonne chaleur.

— L'appel du poêle ! criai-je à Léo.

Dans une demi-heure, nous aurions une tasse de thé dans les mains. De quoi se plaindre ?

À la même heure le troupeau des yacks domestiques regagnait les baraquements. Comme les bêtes de ferme, nous étions commandés par le ventre. En dépit de la haute opinion qu'il se fait de lui-même, l'homme finit devant la soupe. En descendant les flancs, vers le fleuve immobile, je me remémorais l'enterrement de ma mère. Nous étions hébétés en ce jour du mois de mai : elle était morte sans coup férir. Personne ne s'était préparé à l'inéluctable. Pendant la cérémonie catholique gréco-melkite où son cercueil reposait devant l'iconostase, quelques-uns d'entre nous pensèrent que la vie ne serait plus supportable, que l'obscénité de sa mort nous emporterait à sa suite. Mais les heures passaient et soudain, nous eûmes faim. Et voilà que l'assemblée tant éplorée et se croyant inconsolable se retrouva d'un même mouvement autour de la table du restaurant grec, mastiquant les poissons grillés et sirotant le vin résiné. Les glandes stomacales sont plus impérieuses que leurs homologues lacrymales et l'appétit du ventre me sembla ce jour-là le plus grand agent consolateur de la peine des hommes.

Je cherchais la panthère. Qui cherchais-je vraiment ? Grandeur de l'affût animalier : on traque une bête, c'est votre mère qui vous visite.

Le paysage était un éventail. Des plans de versants écrus s'intercalaient entre des arrière-mondes froissés de neige. La neige poudrait les plissements, les dieux se drapaient. Munier formula la chose avec moins d'afféterie :

— La neige travaille comme un photographe de l'agence Magnum, en noir et blanc.

Dix barhals cotonnaient les versants. Ils s'enfuirent dans les escarpements de l'ouest. Ils déclenchaient des éboulements. Leur panique rompait l'ordre. La panthère les forçait-elle ? Les rumeurs du camp montaient : des martèlements, un vrombissement de générateur, des aboiements. Les meuglements raclaient la vallée. Les enfants couraient après les yacks et les rabattaient vers les enclos, les roulant comme des jouets vers le fond du canyon. À coups de fronde, ces mômes d'un mètre de haut menaient la coulée. Le moindre coup d'encolure les aurait éventrés mais les énormes herbivores acceptaient d'être menés par ces petits bipèdes. La masse s'était soumise. Cela s'était passé dans le Croissant fertile, quinze mille ans avant la naissance de l'anarchiste crucifié. Les hommes avaient rassemblé de grands troupeaux. Les bovins avaient troqué leur liberté contre la sécurité. Leur gène se souvenait du pacte. Ce renoncement menait les bêtes à l'enclos, et les hommes à la ville. J'étais de cette race des hommes-bovins : je vivais dans un appartement. L'autorité régentait mes faits et gestes et s'impatronisait dans mes libertés de détail. En échange, on me fournissait le tout-à-l'égout et le chauffage central – le foin, en d'autres termes. Cette nuit, les bêtes rumineraient en paix, c'est-à-dire en prison. Pendant ce temps les loups fouilleraient la nuit, les panthères rôderaient, les mouflons trembleraient accrochés aux parois. Que choisir ? Vivre maigre sous les voies lactées ou ruminer au chaud dans la moiteur de ses semblables ?

Nous étions à trois cents mètres au-dessus des baraquements. Les falaises tombaient dans les pentes du Mékong. Les yacks étaient des grains sur la steppe. La fumée du poêle bleuissait l'air. La température tombait encore, rien ne bougeait, l'univers dormait. Nous serpentions entre les vires vers le campement, quand nous l'entendîmes feuler. Ce n'était pas un madrigal, c'était un déchirement. L'écho retentit dix fois, vaste et triste. Les panthères s'appelaient pour perpétrer la race tachetée. D'où le chant émanait-il ? Des rives du fleuve ou des grottes de parois ? Le miaulement douloureux emplit la vallée. Il fallait un effort d'imagination pour entendre le chant d'amour. Les panthères feulaient et s'en allaient. « Je l'aime, je le fuis », confiait la Bérénice de

Racine, reine des panthères. Je bâtissais déjà une théorie de l'amour proportionné à la distance conservée entre les êtres. La faible fréquence des fréquentations garantirait la perpétuation du sentiment.

— C'est le contraire, corrigea Munier à qui j'exposais mes théories de bistro. Elles s'appellent pour se trouver. Elles se choisissent, se cherchent. Les feulements s'accordent.

Les enfants du vallon

Chaque soir, lorsque nous débarquions dans les baraques, les sœurs de Gompa nous prenaient la main, nous menaient au poêle. Pendant des années, elles apprendraient les gestes de leur mère pour les transmettre ensuite à leurs propres filles. Nous les aidions à porter l'eau, à la mode asiatique : deux seaux suspendus aux extrémités d'une canne de bambou. La charge était lourde pour mon dos abîmé. Jisso, trente kilos, ne rechignait jamais à accomplir les deux cents mètres entre la rivière et les baraques. Gompa m'imitait en grimaçant, claudiquant, cassé en deux. Puis nous somnolions dans la chaleur de la pièce. Le bouddha souriait. Les bougies diffusaient une odeur blanche. La mère versait le thé. Le père dans ses fourrures se réveillait de sa sieste. Le poêle était l'axe. Autour, les constellations familiales : l'ordre, l'équilibre, la sécurité. Dehors montait la rumeur d'une mastication. Les bêtes-esclaves se reposaient.

Elle ne réapparaissait pas. Nous sillonnions les versants, explorions les cavités. Passaient des renards, des lièvres, force troupeaux de chèvres bleues mais de panthère jamais, et les gypaètes traçaient leur ronde de mort au-dessus de ma déconvenue.

Il fallait s'y résoudre : ici, l'Évolution n'avait pas misé sur la perpétuation par la multitude. Dans les écosystèmes tropicaux, la vie se répand par profusion : nuage de moustiques, grouillements d'arthropodes, explosions d'oiseaux. L'existence est courte, rapide, interchangeable : de la dynamite spermatique ! La nature répare en prodigalité ce qu'elle disperse dans le gâchis de la dévoration. Au Tibet, la longévité des créatures compense leur rareté. Les bêtes sont résistantes, individuées, programmées pour le long terme : la vie dure. Les herbivores tondent une herbe maigre. Les vautours coupent un air vide. Les prédateurs rentrent bredouilles. Ils relanceront leurs attaques plus tard, plus loin, égaillant d'autres troupeaux. Parfois, pendant des heures pas un mouvement, pas un souffle.

Le vent arrachait aux versants des dartres de neige. Nous tenions bon. Le principe du guet est d'endurer l'inconfort dans l'espoir qu'une rencontre en légitime l'acceptation. L'idée qu'elle était là et que nous l'avions vue, qu'elle nous voyait peut-être et qu'elle pouvait surgir suffisait à supporter l'attente. Je me souvenais que le Swann de la *Recherche*, amoureux d'Odette de Crécy, tirait contentement de la simple certitude qu'elle pouvait se trouver près de lui quand bien même ne la rencontrerait-il pas. Je me rappelais vaguement un passage mais il me fallut attendre le retour à Paris pour retrouver les lignes et les lire à Munier. Marcel Proust aurait parfaitement compris l'essence de nos affûts mais, par des températures de – 20 °C, il aurait pris froid dans sa pelisse de vison et aurait toussé. Il suffisait de remplacer Odette par « la panthère blanche » : « Même avant d'y voir

Odette, même s'il ne réussissait pas à l'y voir, quel bonheur il aurait eu à mettre le pied sur cette terre, où ne sachant pas l'endroit exact, à tel moment, de sa présence, il sentirait palpiter partout la possibilité de sa brusque apparition… » La possibilité de la panthère palpitait dans la montagne. Et nous ne demandions qu'à elle de maintenir une tension d'espérance suffisante pour tout supporter.

Ce jour-là, les trois enfants vinrent me rejoindre, menés par Gompa le plus petit et le plus démoniaque. Ils allèrent droit sur ma position, chantant, caracolant, les vestes débraillées, les cheveux emportés par le vent. Ils marchèrent exactement vers les blocs de rocher où je m'étais caché, ruinant ainsi mes efforts de dissimulation et prouvant que mes camouflages n'étaient pas au point. Du fond du vallon, ils avaient repéré ma cache à cinq cents mètres de distance ! Ils s'installèrent avec moi, vifs, ravissants, ne connaissant du monde que ce vallon et de la vie que des journées limpides, côtoyant les bêtes fauves et les yacks assagis. À huit ans, ces mômes avaient la notion de la liberté, de l'autonomie et des responsabilités, la morve au nez, le sourire en coin, un poêle comme seconde mère et un troupeau de géants à charge. Ils craignaient les panthères, mais portaient un petit poignard à la ceinture et se seraient défendus en cas d'attaque. En outre, ils conjuraient les peurs par leurs chants gueulés dans l'air glacé. Ils n'avaient pas de conseiller d'orientation, ils savaient courir la montagne. Ils circulaient chaque jour devant des promesses de défilés conduisant à des cols ouverts sur l'horizon. Ils échappaient à l'infamie de nos enfances européennes : la *pédagogie*, qui ôte aux enfants la gaieté. Leur monde avait ses bordures, la nuit ses froidures, l'été ses douceurs, l'hiver ses souffrances.

Ils peuplaient un royaume crénelé de tours, percé d'arches, défendu de parois. Ils ne regardaient jamais d'écrans et peut-être leur grâce était-elle proportionnelle à l'absence de haut débit ? Munier, Marie et Léo, cachés au pied d'une paroi de la rive droite, vinrent rejoindre notre groupe. Alors, abandonnant toute chance de surprendre la panthère, nous tînmes salon dans les rochers jusqu'au soir.

Munier montra aux enfants le tirage papier d'une photo qu'il avait prise une année auparavant.

Au premier plan, un faucon, couleur de cuir, posté sur un rocher de lichen. En arrière, légèrement à gauche, derrière le contour du calcaire, invisible à un regard non prévenu, apparaissaient les yeux d'une panthère fixant le photographe.

La tête de l'animal s'incorporait au roc et l'œil mettait un temps à la distinguer. Munier avait réglé ses focales sur les plumes de l'oiseau sans même soupçonner que la panthère l'observait. Ce n'est qu'en étudiant ses photos, deux mois plus tard, qu'il s'était aperçu de sa présence. Lui, le naturaliste infaillible, avait été berné. Quand il m'avait montré la photo, je n'avais rien distingué d'autre que l'oiseau et il avait fallu que mon ami me pointât du doigt la panthère pour que je perçoive l'existence de ce que mon regard n'aurait jamais détecté de lui-même, car il ne cherchait pas à saisir autre chose qu'une présence immédiate. Une fois localisée, la bête me frappait à chaque fois que je voyais l'image. L'insoupçonnable était devenu l'évident. Cette photo recelait ses enseignements. Dans la nature, nous sommes regardés. D'autre part, nos yeux vont toujours vers le plus simple, confirment ce que nous savons déjà. L'enfant, moins conditionné que l'adulte, saisit les mystères des arrière-plans et des présences repliées.

Nos petits amis tibétains ne se firent pas abuser. Leurs doigts se pointèrent immédiatement sur elle. « *Saâ !* » hurlaient-ils. Non que leur vie montagnarde leur eût affûté le regard mais leur œil d'enfant ne se laissait pas conduire vers la certitude du donné. Ils exploraient les périphéries du réel.

Définition du regard artistique : voir les fauves cachés derrière les paravents banals.

La deuxième apparition

Nous la vîmes une deuxième fois par un matin de neige. Nous étions sur les crêtes de calcaire, au débouché austral du vallon, au-dessus d'une arche percée de rafales. Nous avions pris nos postes à l'aube : le vent nous giflait le visage.

Munier restait stoïque, impeccablement rivé à ses œilletons. Sa vie intérieure s'alimentait du monde extérieur. La possibilité d'une rencontre anesthésiait en lui toute douleur. La veille, il m'avait parlé de ses proches. « Ils me prennent pour un névrosé : je regarde passer une sittelle pendant que se déroulent des choses cruciales. » Je lui avais répondu que la névrose se situait au contraire dans la diffraction de nos cerveaux affolés d'informations. Prisonnier de la ville, nourri du perpétuel jaillissement de nouveautés, je me sentais un homme diminué. La fête foraine battait son plein, la lessiveuse tournait, les écrans scintillaient. Jamais je ne me posais la question : en quoi le vol des cygnes serait-il moins intéressant que les tweets de Trump ?

Moi, pour me soutenir pendant les heures d'affût, je plongeais dans les souvenirs. Je me transportais l'année d'avant, sur les plages du canal du Mozambique ou bien me souvenais d'un tableau du musée du Havre ou encore me figurais un visage aimé. Puis j'entretenais ces images. Elles étaient fragiles, flammèches sous la pluie. L'esprit flottait, fixant le fanal. Ce n'était pas une rumination très intense. Le temps finissait par passer, malgré l'inconfort. Plus tard, quand le soleil éclairait le monde, ces visions fondaient.

Des chèvres bleues s'étaient attribué le vallon à notre hauteur, sur l'autre rive. Le soleil monta par-dessus les crêtes. Toutes les bêtes, d'un même mouvement, s'étaient tournées vers la lumière. Si le soleil était Dieu, il devait considérer les animaux comme des fidèles plus fervents que les hommes entassés sous des néons, indifférents à ses gloires.

La panthère déboucha sur l'arête. Elle descendit vers les barhals. Elle avançait, plaquée au sol, d'une foulée retenue – chaque muscle convoqué, chaque mouvement maîtrisé, mécanique parfaite. L'arme de destruction massive avançait à pas mesurés vers le haut sacrifice de l'aube. Son corps coulait dans les blocs. Les chèvres bleues ne la voyaient pas. Ainsi chasse la panthère, usant de surprise. Trop lourde, incapable de rattraper une proie à la course (elle n'est pas le guépard de la savane africaine) elle mise sur le camouflage, s'approche de ses proies contre le vent et saute d'un bond de plusieurs mètres. Les militaires appellent « fulgurance » cette tactique du déchaînement et de l'imprévisibilité. Si l'effet est réussi, l'ennemi – même plus nombreux ou plus puissant – n'a pas le temps d'opérer ses défenses. Surpris, il est vaincu.

Ce matin-là, l'attaque échoua. Une chèvre bleue détecta la panthère et sa convulsion alerta l'ensemble du troupeau. À ma surprise, les caprins ne s'enfuirent pas mais se tournèrent vers le fauve, de face, pour lui signifier que l'approche était éventée. Surveiller la menace protégeait le groupe. Leçon donnée par les chèvres bleues : le pire ennemi est celui qui se cache.

Panthère démasquée, fin de partie. Elle traversa le vallon sous l'œil des barhals qui, sans la lâcher du regard, se contentaient de reculer de quelques dizaines de mètres pour la laisser passer. Si le fauve faisait un seul mouvement, les herbivores s'égailleraient dans les pierriers.

L'once fendit le groupe, grimpa dans les blocs, gagna l'arête, apparut encore une fois, découpée dans le ciel, puis disparut de l'autre côté de la crête. Alors, Léo, qui était à un kilomètre de nos postes, dans un plissement du nord, la prit dans sa lunette, comme si nous nous confiions le témoin. Dans la radio il chuchota des bribes de phrases pour nous tenir au courant :

— Elle est sur la ligne de crête…

« elle descend le long de la paroi…

« elle traverse le vallon…

« elle se couche…

« repart…

« elle monte sur l'autre rive…

Et nous attendîmes tout le jour, écoutant ce poème, dans l'espoir que la bête revienne sur notre versant. Elle allait lentement, elle avait la vie devant elle. Nous avions notre patience. Nous la lui offrions.

Nous la revîmes avant la tombée du soir dans les mâchicoulis de la crête. Elle était étendue, s'étira, se releva et s'en alla, d'un pas chaloupé. Sa queue fouetta l'air et se figea, dessinant un point d'interrogation : « Conserverai-je mon royaume devant l'avancée de vos républiques ? » Elle disparut.

— Elles passent une grande partie des huit années de leur existence à dormir, dit Munier. Elles chassent si une occasion se présente, elles se gobergent puis tiennent une semaine sur les réserves.

— Mais le reste du temps ?

— Elles somnolent. Vingt heures par jour parfois.

— Elles rêvent ?

— Qui sait.

— Quand elles fixent le lointain, contemplent-elles le monde ?

— Je le crois, dit-il.

Souvent, dans les calanques de Cassis, j'observais les escadres de goélands et me demandais : les bêtes regardent-elles le paysage ? Les oiseaux blancs, ultra-sapés, tenaient le surplace, par-dessus le soleil couchant. Ils n'étaient jamais sales – plastron immaculé, ailes nacrées. Ils coupaient l'air sans un battement, surfant sur les couches atmosphériques, pendant que l'horizon rougeoyait. Ils ne chassaient pas. Ils paraissaient au spectacle, contredisant le dogme de leur soumission aux seuls mécanismes de la survie. Même le plus rationaliste des hommes n'aurait pu refuser le « sens du beau » à ces animaux. Appelons sens du beau la conviction jouissive de se sentir en vie.

La panthère alternait entre les campagnes carnassières

et les siestes délicieuses. Une fois rassasiée, elle s'étendait sur des dalles de calcaire et je la soupçonnais de rêver à des plaines de viandes fumantes disposées pour elle, où elle n'aurait plus à bondir pour gagner sa part.

La part des bêtes

Ainsi, dans les huit années de sa vie, la panthère embrassait-elle une existence totale : le corps pour la joie, les rêves pour la gloire. Jacques Chardonne ramassait ainsi la tâche de l'homme dans *Le ciel par la fenêtre* : « Vivre dignement dans l'incertain. »

— Définition pour panthère ! dis-je à Munier.

— Attention ! dit-il, on peut se persuader que les bêtes jouissent du soleil, des profusions de sang et des siestes énormes, on peut leur attribuer des sentiments élaborés – et je suis le premier à le faire – mais pas les affubler d'une morale.

— Une morale humaine trop humaine ? dis-je.

— Pas la leur, dit-il.

— Le vice et la vertu ?

— Pas leur affaire.

— Le sentiment de honte après le massacre ?

— Pas concevable ! reprit Léo qui avait lu les livres.

Il nous rappelait la fulgurance d'Aristote : « Chaque animal réalise sa part de vie et de beauté. » Dans les *Parties des animaux*, le philosophe définissait par cette seule phrase toute la conduite sauvage. Aristote bornait le destin animal aux fonctions vitales et à la perfection formelle, hors de toute considération morale. L'intuition du philosophe était parfaite, superbement pesée, noblement formulée, totalement efficace – grecque, quoi ! Les bêtes occupent leur juste place, sans dépasser les parapets institués par les tâtonnements de l'Évolution, puissance d'équilibre. Chacune constitue un élément de la machinerie de l'ordre et de la beauté. La bête est un joyau serti dans la couronne. Dût le diadème se laver de sang. La morale n'est pas invitée dans ces ordonnancements, ni la cruauté dans les dévorations. La morale était cette invention de l'homme qui avait quelque chose à se reprocher. La vie ressemblait à une partie de mikado et l'homme s'avérait brutal pour ce jeu délicat. Il avait débarqué avec une violence pas toujours nécessaire à la survie de sa race et par surcroît, sortant des cadres légaux par lui-même institués !

« Chaque animal distribue sa part de mort », aurait pu ajouter Aristote. Vingt-trois siècles plus tard, Nietzsche confirmait le postulat dans *Humain trop humain* : « Et la vie au moins ce n'est pas la morale qui l'a inventée. » Non, c'était la vie elle-même et son impératif d'expansion qui avait inventé la vie. Les bêtes de notre vallon et celles du monde connu vivaient par-delà le bien et le mal. Elles n'étanchaient pas une soif d'orgueil ou de pouvoir.

Leur violence n'était pas la rage, leurs chasses n'étaient pas des rafles.

La mort n'était qu'un repas.

Le sacrifice du yack

— J'ai repéré une grotte à deux cents mètres en haut de la piste. On va y bivouaquer, elle ouvre sur le versant oriental, on sera à la meilleure place.

Ainsi Munier nous avait-il réveillés ce matin-là, une semaine après notre arrivée. Il gelait dans le baraquement, Léo alluma le poêle et nous préparâmes le thé puis les paquetages : le premier pour nous réveiller, les seconds pour survivre à la nuit. Nous emportions le matériel photographique, les lunettes d'observation, les sacs de couchage pour – 30 °C, des vivres, et mon exemplaire du *Tao-tö-king*.

— On restera deux jours et deux nuits là-haut. Si elle passe, la grotte offre un balcon parfait.

Nous montâmes par un thalweg perpendiculaire au canyon. Il fallut du temps pour gagner les escarpements dans l'air gris. Mes amis peinaient. Léo portait trente-cinq kilos et l'énorme télescope dépassait de son sac de portage. Ainsi, me disais-je, même les métaphysiciens sont capables d'efforts. Marie disparaissait sous une charge plus haute qu'elle. Une fois encore, je ne portais rien, allant comme un poussah flanqué de domestiques. Mes vertèbres meurtries m'épargnaient l'effort, non mon goût pour les caravanes coloniales.

— Il y a une masse sombre, là ! dit Marie.

Le yack agonisait. Couché sur le flanc gauche, il haletait et la vapeur cotonnait ses naseaux. Il allait mourir au fond de ce couloir. Finies les courses dans le soleil joyeux. Les crocs de la panthère lui avaient percé l'encolure, le sang coulait sur la neige. La bête tremblait.

Ainsi chassent les panthères : sautant sur le garrot de leur proie et ne lâchant pas prise. La bête attaquée s'enfuit en pleine pente, le prédateur à sa gorge, et la course se solde par une chute des deux animaux – chasseur et proie. Ils roulent sur le versant, tombent dans les escarpements, s'écrasent sur les rocs. Il arrive que les fauves se brisent l'échine dans ces parties. Ceux qui réchappent aux chocs boiteront toute leur vie. Les nomades scythes avaient représenté sur leurs fibules d'or le motif du *léopard sur le garrot*. Les dessins figuraient le tourbillon de muscles et de fourrures mêlés, la danse de l'attaque et de la fuite qui est la plus commune conséquence de la rencontre entre deux êtres.

La panthère nous avait entendus. Sans doute nous observait-elle, cachée dans les rocailles, inquiète que des bipèdes – race honnie entre toutes – puissent lui ravir sa proie. Elle se méprenait car les intentions de Munier étaient plus sophistiquées que de voler la pitance d'un carnassier. Le yack était mort.

— On va le déplacer de dix mètres, au fond du ravin, dans l'axe de la grotte, dit Munier. Si la panthère revient, on sera avec elle !

Au soir venu nous étions en position, le yack couché sur

l'herbe et nous, installés dans un système de grottes superposées. « Un duplex ! » avait dit Léo en découvrant les cavités creusées l'une au-dessus de l'autre, séparées par un ressaut de trente mètres. Marie et Munier occupaient la grotte du bas (la suite impériale), j'étais avec Léo dans celle du haut (la dépendance), le yack gisait à cent mètres en contrebas (le cellier du domaine).

La peur du noir

Combien en avais-je passé des nuits de bivouac au fond des grottes ? En Provence, dans les Alpes-Maritimes, les forêts d'Île-de-France, en Inde, en Russie, au Tibet, j'avais dormi dans les « baumes » aux odeurs de figuier, les avancées de granit, les failles volcaniques, les niches de grès. En entrant, je vivais un instant sacré : la reconnaissance des lieux. Il fallait ne déranger personne. Parfois, j'avais affolé des chiroptères ou des scolopendres. Les rituels étaient immuables : aplanir le sol, disposer ses hardes dans un recoin protégé du vent. La grotte dans laquelle je venais de rentrer avec Léo avait été occupée. Le sol était propre, le plafond noirci de suie, un cercle de pierres trahissait un foyer. Les grottes avaient constitué la géographie matricielle de l'humanité dans ses lamentables débuts. Chacune avait abrité des hôtes jusqu'à ce que l'élan néolithique sonne la sortie d'abri. L'homme s'était alors dispersé, avait fertilisé les limons, domestiqué les troupeaux, inventé un Dieu unique et commencé la coupe réglée de la Terre pour parvenir, dix mille ans plus tard, à l'accomplissement de la civilisation : l'embouteillage et l'obésité. On pourrait modifier la pensée B139 de Pascal – « Tout le malheur des hommes vient d'une seule chose, qui est de ne savoir pas demeurer en repos dans une chambre » – et trouver que le malheur du monde débuta quand le premier homme sortit de la première grotte.

Dans les grottes, je percevais l'écho magique d'un vieux rayonnement. Même question en entrant sous la nef d'une église : que s'était-il passé ici ? Comment s'aimait-on sous un plafond voûté ? Peut-être de vieilles conversations avaient-elles imprégné les rochers, comme les psaumes des vêpres s'incorporent au calcaire cistercien ?

Parfois, dans nos bivouacs provençaux, mes camarades raillaient ces considérations. Ils ricanaient dans leurs sacs de couchage : « Tu développes un dérèglement sexuel, mon vieux ! Ce ramonage dans les conduits, c'est la nostalgie du gluant ! Tu relèves de la psychanalyse ! » Ils me les brisaient avec leurs sarcasmes !

J'aimais les grottes parce qu'elles relevaient d'une architecture immémoriale où les efforts de l'eau et de la dessiccation chimique avaient fini par percer un orifice dans une paroi pour que les nuits d'un passant soient un peu moins douloureuses.

Léo et moi calâmes un sacre de mouflon sur un bloc de rocher à l'entrée de la grotte et ce totem de la mort et de la puissance défendit l'ouverture. Léo régla les appareils. De notre position on voyait le yack en contrebas. L'attente commença. Un gypaète planait, ailes écartées comme pour rapprocher les deux rives du vallon. La pénombre monta dans le canyon, le froid aggravait le silence et je compris devant les heures qui s'annonçaient ce qu'allait signifier l'absence de vie intérieure par – 30 °C, en même temps que je maudis mon goût pour le bavardage car le silence s'imposait. Léo était remarquable dans le rôle de la statue. Il bougeait à peine, scrutant les lieux par un indiscernable balayage de la lunette. Je finis par me carapater au fond de la grotte. J'ouvris de la moufle mon exemplaire du *Tao* : *Agit sans rien attendre.* Je me demandais : « attendre, n'est-ce pas déjà agir ? » L'affût n'était-il pas une forme d'action puisqu'il laissait libre voie aux pensées et à l'espoir ? Dans ce cas, la Voie du Tao aurait recommandé de ne rien attendre de l'attente, pensée qui m'aidait à accepter de demeurer là, assis dans la poussière. Le Tao possède cet avantage : son mouvement circulaire roule dans l'esprit, occupe le temps, même dans la semi-obscurité d'un congélateur rocheux à 4 800 mètres d'altitude. Soudain, une forme s'approcha : Léo regagnait le fond de la grotte.

Très loin, des yacks paissaient sur le versant. Parfois, l'un d'eux glissait sur un névé et son énorme bourre de poils dévalait de quelques mètres. Savaient-ils, ces gros gardiens, qu'ils venaient de perdre l'un des leurs, une heure auparavant ? Se comptaient-ils, ces pauvres numéros condamnés à s'offrir aux fauves ?

La nuit se levait, la panthère ne revenait pas, nous allumâmes nos lampes frontales à filtre rouge, celui qu'on utilise à bord des bâtiments de la Marine nationale pendant les nuits de quart, pour n'émettre aucune lueur repérable. Il me plut de me croire sur la passerelle d'un galion du silence lancé dans la nuit où vaquaient des panthères.

Les enfants rentraient le troupeau, des cris montaient, l'obscurité fut totale. Un grand duc montait la garde dans la falaise d'en face, sur l'autre rive. Son hululement annonçait l'ouverture des chasses. « Hou ! Hou ! dormez, gros herbivores, et cachez-vous ! disait le hibou, les rapaces vont décoller, les loups sortir et rôder dans le noir, pupilles dilatées, et la panthère viendra tôt ou tard, plonger son mufle dans le ventre de l'un d'entre vous. »

En montagne, les efforts du ciel ne sont pas de trop, au petit matin, pour cacher sous une couche de neige la trace des orgies de la nuit.

À huit heures du soir, Marie et Munier nous rejoignirent. Sur un réchaud timide, Léo fit la soupe. Nous parlâmes de la vie dans les grottes, de la peur vaincue par le feu, de la conversation née des flammes, des rêves qui devinrent l'art, du loup qui devint le chien, et de l'audace des hommes à franchir la ligne. Puis Munier évoqua cette rage humaine à faire payer plus tard à tous les autres règnes les souffrances endurées pendant les hivers paléolithiques. Chacun regagna sa grotte.

Nous nous glissâmes dans les duvets. Si la panthère venait dans la nuit, elle humerait notre fumet, malgré le froid. Il fallait accepter cette idée déprimante : « La Terre sent l'homme[1]. »

— Léo ? dis-je avant d'éteindre ma lampe.

— Oui ?

— Munier, au lieu d'offrir un manteau de fourrure à sa femme, l'emmène voir directement la bête qui le porte.

1. Ylipe, *Textes sans paroles*.

La troisième apparition

Aux premières lueurs, nous rampâmes hors de nos sacs. Il avait neigé et la bête était près de son yack, babines rougies de sang, pelage saupoudré de blanc. Elle était revenue avant l'aube et dormait, le ventre lourd. Sa fourrure était une nacre aux reflets bleus. Pour cela, on l'appelait panthère des neiges : elle arrivait comme la neige, silencieuse, et se retirait à pas de feutre, fondue dans la roche. Elle avait déchiré l'épaule, part du roi. Une tache vermillon se découpait dans la robe noire du yack. La panthère nous avait repérés. Se tournant sur le flanc, elle leva la tête et nous croisâmes son regard, braise froide. Les yeux disaient : « Nous ne pouvons nous aimer, vous n'êtes rien pour moi, votre race est récente, la mienne immémoriale, la vôtre se répand, déséquilibrant le poème. » Cette face barbouillée de rouge, c'était l'âme du monde primitif alternant les ténèbres et l'aurore. La panthère ne semblait pas inquiète. Peut-être avait-elle mangé trop vite. Elle s'endormait de courts instants. Sa tête reposait sur ses pattes avant. Elle se réveillait, humait l'air. Cette phrase que j'avais tant aimée du *Récit secret* de Pierre Drieu la Rochelle me martelait l'esprit, et si la proximité de la bête ne nous avait pas commandé le silence, je l'aurais récitée à Munier, à la radio, pour lui dire tout le mal que j'en pensais à présent : « … je savais qu'il y avait en moi quelque chose qui n'était pas moi et qui était beaucoup plus précieux que moi. » Je la détournais mentalement pour formuler ceci : « Il y a hors de moi quelque chose qui n'est pas moi et qui n'est pas l'homme et qui est plus précieux, et qui est un trésor hors l'humain. »

Elle resta jusqu'à dix heures du matin. Deux gypaètes venaient aux nouvelles. Un grand corbeau traça une ligne dans le ciel : encéphalogramme plat.

J'étais venu pour l'once. Elle était là, roupillant à quelques dizaines de mètres de moi. Cette fille des bois, aimée par moi en des temps où j'étais un autre, avant que ma chute d'un toit en 2014 ne m'aplatisse, aurait su remarquer des détails que je ne voyais pas, m'aurait expliqué les pensées de la panthère. Pour elle, je regardais la bête de toutes mes forces. L'intensité avec laquelle on se force à jouir des choses est une prière adressée aux absents. Ils auraient aimé être là. C'est pour eux que nous regardons la panthère. Cette bête, songe fugace, était le totem des êtres disparus. Ma mère emportée, la fille en allée : chaque apparition me les avait ramenées.

Elle se leva, fila derrière un rocher, réapparut sur la pente. Son pelage se mêlait aux buissons, laissant une traînée *poikilos*. Ce mot de la Grèce antique désigne la peau tachetée du fauve. Le même terme décrit le chatoiement de la pensée. La panthère, comme la pensée païenne, circule dans le dédale. Difficilement saisissable, elle palpite, accordée au monde, pavoisée. Sa beauté vibre dans le froid. Tendue parmi les choses mortes, paisible et dangereuse, mâle avec un nom femelle, ambiguë comme la plus haute poésie, imprévisible et sans confort, bigarrée, moirée : c'est la panthère *poikilos.*

Le chatoiement disparut pour de bon, La panthère des neiges s'était évaporée. La radio crépita :

— Vous l'avez ? dit Munier.

— Non, perdue, dit Léo.

Consentir au monde

Débuta la journée d'affût. Dans le sud du Liban, au cœur du district de Sidon, se dresse une chapelle dédiée à la Sainte Vierge : Notre-Dame de l'Attente. Je baptisai notre grotte de ce nom. Léo en était le chanoine. Au télescope, il fouilla la montagne jusqu'au soir. Munier et Marie devaient en faire autant, dans la niche du bas, à moins qu'ils n'occupassent autrement les heures. Parfois Léo se repliait à quatre pattes pour boire une gorgée de thé au fond de la cavité puis reprenait sa vigie. Munier nous avait parlé à la radio. Il pensait que le fauve avait traversé le canyon et rejoint les terrasses de roches, sur le versant opposé : « Elle va se reposer en tenant un œil sur la proie, fouillez les blocs en face, à même hauteur. »

Ces heures furent notre dette payée au monde. Je demeurais dans cette nacelle, entre le vallon et le ciel, à scruter la montagne. Je me tenais, jambes croisées, et regardais le paysage derrière la vapeur de mes expirations. Moi qui avais demandé au voyage de me pourvoir tant de surprises, « follement épris de la variété et du caprice[1] », je me contentais

1. Gérard de Nerval, *Aurélia*.

d'un versant gelé dans une enchâssure. M'étais-je converti au *Wu Wei*, art chinois du non-agir ? Rien ne vaut trente degrés sous le zéro pour vous plier à ce genre de philosophie. Je n'espérais rien, n'agissais pas. Tout mouvement laissait pénétrer dans le dos un coulis de froid, qui ne prédispose pas aux grands projets. Oh certes, si une panthère avait surgi devant mes yeux j'en aurais été comblé, mais rien ne remuait et dans cette hibernation éveillée, je n'en concevais aucun dépit. L'affût était un exercice de l'Asie. Il y avait le Tao dans cette attente d'une des formes de l'unique. Il y avait aussi un peu de l'enseignement de la *Bhagavad-Gita* hindoue, négation du désir. L'apparition de l'animal n'aurait rien changé à l'humeur. « Demeure égal dans le succès comme dans l'insuccès », nous rassurait Krishna au chant II.

Et comme le temps largement ouvert accueillait la malaxation des pensées, je me disais que cette science de l'affût à laquelle m'avait initié Munier était l'antidote à l'épilepsie de mon époque. En 2019, l'humanité pré-cyborg ne consentait plus au réel, ne s'en satisfaisait pas, ne s'y accordait, ni ne savait s'y assortir. Ici, à Notre-Dame de l'Attente, je demandais au monde de continuer à pourvoir ce qui était déjà en place.

En ce début de siècle 21, nous autres, huit milliards d'humains, asservissions la nature avec passion. Nous lessivions les sols, acidifiions les eaux, asphyxiions les airs. Un rapport de la Société zoologique britannique établissait à 60 % la proportion d'espèces sauvages disparues en cinq décennies. Le monde reculait, la vie se retirait, les dieux se cachaient. La race humaine se portait bien. Elle bâtissait les conditions de son enfer, s'apprêtait à franchir la barre des dix milliards d'individus. Les plus optimistes se félicitaient de la possibilité d'un globe peuplé de quatorze milliards d'hommes. Si la vie se résumait à l'assouvissement des besoins biologiques en vue de la reproduction de l'espèce, la perspective était encourageante : nous pourrions copuler dans des cubes de béton connectés au Wifi en mangeant des insectes. Mais si l'on demandait à notre passage sur la Terre sa part de beauté et si la vie était une partie jouée dans un jardin magique, la disparition des bêtes s'avérait une nouvelle atroce. La pire de toutes. Elle avait été accueillie dans l'indifférence. Le cheminot défend le cheminot. L'homme se préoccupe de l'homme. L'humanisme est un syndicalisme comme un autre.

La dégradation du monde s'accompagnait d'une espérance frénétique en un avenir meilleur. Plus le réel se dégradait, plus retentissaient les imprécations messianiques. Il y avait un lien proportionnel entre la dévastation du vivant et le double mouvement d'oubli du passé et de supplique à l'avenir.

« Demain, mieux qu'aujourd'hui », slogan hideux de la modernité. Les hommes politiques promettaient des réformes (« le changement », jappaient-ils !), les croyants attendaient une vie éternelle, les laborantins de la Silicon Valley nous annonçaient un homme augmenté. En bref, il fallait patienter, les lendemains chanteraient. C'était la même rengaine : « Puisque ce monde est bousillé, ménageons nos issues de secours ! » Hommes de science, hommes politiques et hommes de foi se pressaient au portillon des espérances. En revanche, pour conserver ce qui nous avait été remis, il n'y avait pas grand monde.

Ici un tribun de barricade appelait à la Révolution et ses

troupes déferlaient avec la pioche au poing ; ici un prophète invoquait l'*Au-delà* et ses ouailles se prosternaient devant la promesse ; ici, un Folamour 2.0 fomentait la mutation posthumaine et ses clients s'entichaient de fétiches technologiques. Ces hommes vivaient sur des oursins. Ils ne supportaient pas leur condition, et de cette outre-vie ils attendaient les bienfaits mais ne connaissaient pas la forme. Il est plus difficile de vénérer ce dont on jouit déjà que de rêvasser à décrocher les lunes.

Les trois instances – foi révolutionnaire, espérance messianique, arraisonnement technologique – cachaient derrière le discours du salut une indifférence profonde au présent. Pire ! elles nous épargnaient de nous conduire noblement, ici et maintenant, nous économisaient de ménager ce qui tenait encore debout.

Pendant ce temps, fonte des glaces, plastification, mort des bêtes.

« Fabuler d'un autre monde que le nôtre n'a aucun sens[1]. » J'avais noté cette fusée de Nietzsche en exergue d'un petit calepin de notes. J'aurais pu la graver à l'entrée de notre grotte. Une devise pour les vallons.

Nous étions nombreux, dans les grottes et dans les villes, à ne pas désirer un monde augmenté, mais un monde célébré dans son juste partage, patrie de sa seule gloire. Une montagne, un ciel affolé de lumière, des chasses de nuages et un yack sur l'arête : tout était disposé, suffisant. Ce qui ne se voyait pas était susceptible de surgir. Ce qui ne surgissait pas avait su se cacher.

1. Nietzsche, *Crépuscule des Idoles*.

C'était là le consentement païen, chanson antique.

— Léo ! je te résume le Credo, dis-je.

— J'écoute, dit-il poliment.

— Vénérer ce qui se tient devant nous. Ne rien attendre. Se souvenir beaucoup. Se garder des espérances, fumées au-dessus des ruines. Jouir de ce qui s'offre. Chercher les symboles et croire la poésie plus solide que la foi. Se contenter du monde. Lutter pour qu'il demeure.

Léo fouillait la montagne au télescope. Il était trop concentré pour m'écouter vraiment, ce qui me donnait l'avantage de pouvoir continuer mes démonstrations.

— Les champions de l'espérance appellent "résignation" notre consentement. Ils se trompent. C'est l'amour.

La dernière apparition

Ce fut le face-à-face de notre admiration et de son indifférence. Munier avait vu juste. La panthère s'était rétablie sur l'autre versant, à trois cents mètres de nous, plein est, à même hauteur. Elle apparut vers dix heures dans la lunette. Elle somnolait sur un bloc, levait la tête, jetait un regard vers son yack. S'assurait-elle que les vautours n'affluassent pas à la curée ? Puis elle tendait la tête au ciel, la replongeait en sa fourrure. Elle somnola tout le jour. Comme elle était très loin, nous pouvions parler à haute voix, allumer les cigares, réactiver les réchauds, parce que tout de même il était bon de siffler une soupe dans ce congélateur. Toutes les deux minutes, je rampais vers les trépieds, collais mon œil à l'œilleton pour regarder son visage fuselé et son corps replié sur sa propre chaleur. La vision, à chaque fois, me procurait une électrocution de plaisir. Ainsi des choses réelles dont le regard s'assure de la présence. La panthère ce matin n'était pas un mythe, ni un espoir, ni l'objet d'un pari pascalien. Elle se tenait là. Sa réalité était sa suprématie.

Elle ne revint pas à sa proie. Le jour s'écoula. Le service funèbre de la patrouille des crevards (vautours, gypaètes, corbeaux) n'intervint pas. Parfois, Munier parlait à la radio : « Un harle à l'ouest, des craves à bec rouge, au-dessus de l'arche. » Partout où son regard se posait, il voyait des bêtes ou devinait leur présence. Et ce don, comparable à l'éducation du passant raffiné qui, déambulant dans la ville, vous signale une colonnade classique, un fronton baroque, un rajout néo-gothique, offrait à Munier de se déplacer dans une géographie sans cesse enluminée et toujours généreuse, palpitant d'habitants dont un œil profane ne soupçonnait pas l'existence. Je comprenais que mon camarade vive isolé dans les Vosges. Comment aurait-il pu chercher la conversation de ses pairs, lui qui voyait débouler les carnassiers dans les troupeaux placides et savait pourquoi les corbeaux planaient ? Les livres le touchaient encore : « Quand je quittai l'école, à dix-sept ans, m'avait-il dit, c'était pour entrer dans la forêt. Je n'ai plus jamais ouvert un manuel scolaire, mais j'ai lu tout Giono. »

La panthère s'en alla avec le soir. Elle se leva, se coula derrière un bloc, disparut. Nous bivouaquâmes une deuxième nuit dans la grotte, espérant son retour. Au matin, elle n'était pas auprès de la carcasse. Le froid conserverait longtemps le yack avant que becs, mandibules et crocs ne le déchiquettent. Alors ses tissus seraient réabsorbés dans d'autres êtres vivants et viendraient satisfaire d'autres chasseurs. Mourir, c'est passer.

L'éternel retour de l'éternel retour

Nous repliâmes le bivouac et rentrâmes tous quatre, Munier, Léo, Marie et moi, vers les feux tibétains, sans prononcer un mot car la panthère occupait nos pensées et l'on ne blesse pas un songe avec des bavardages.

Je croyais depuis longtemps que les paysages déterminent les croyances. Les déserts appellent un Dieu sévère, les îles grecques font pétiller les présences, les villes poussent au seul amour de soi, les jungles abritent les esprits. Que des Pères blancs aient réussi à conserver leur foi en un Dieu révélé au milieu des forêts où criaient les perroquets me paraissait un exploit.

Au Tibet, les vallons glacés annulent tout désir et déclenchent l'idée du grand cycle. Plus haut, les plateaux harassés de tempêtes confirmaient que le monde était une onde et la vie un passage. J'avais toujours eu l'âme faible et influençable. Je me conformais aux spiritualités des lieux où j'atterrissais. Qu'on me jette dans un village yazidi, je priais le soleil. Qu'on me propulse dans la plaine gangétique, je m'accordais à Krishna (« Vois d'un œil égal souffrance et plaisir »). Séjournant dans les monts d'Arrée, je rêvais de l'Ankou. Seul l'islam n'avait pas prise, je n'avais pas de goût pour le droit pénal.

Ici, dans l'air raréfié, les âmes migrent en des corps provisoires pour continuer la course. Depuis mon arrivée au Tibet, je pensais au poids des vies successives des animaux. Si la panthère du vallon était une âme incorporée, où allait-elle trouver refuge après sept années de tuerie ? Quelle autre créature accepterait de porter le fardeau ? Comment s'extirperait-elle du cycle ?

L'esprit des temps pré-adamiques pénétrait quiconque captait son regard. Ces mêmes yeux avaient contemplé un monde où l'homme chassait en maigres bandes, pas certain de sa survie. Quelle âme emprisonnée se tenait-elle sous cette fourrure ? Quand l'once m'était apparue, quelques jours plus tôt, j'avais cru reconnaître le visage de feu ma mère : hautes pommettes fendues d'un regard dur. Ma mère cultivait l'art de disparaître, un goût pour le silence, une raideur considérée comme de l'autocratisme. Ce jour-là, pour moi, la panthère fut ma pauvre mère. Et cette idée de la circulation des âmes à travers l'immense stock planétaire de chair vivante, cette même idée simultanément formulée, au VIe siècle avant le Christ, en des points géographiquement éloignés – Grèce et plaine indo-népalaise – par Pythagore et Bouddha, me semblait un élixir de consolation.

Nous arrivâmes aux baraquements. Nous bûmes le thé devant les visages des enfants immobiles, léchés par les lueurs des flammes. Silence, pénombre, fumée : le Tibet hibernait.

La source séparée

Nous avions passé dix jours dans le canyon des panthères. Munier désirait à présent partir photographier les sources du Mékong. On roula une journée vers un campement d'éleveurs, au pied d'un relèvement. Le plateau était un bouclier de steppe frappé sauvagement par le soleil. Vers le nord, des sommets blancs pointaient. Un couple de propriétaires de yacks hivernait dans une baraque de tôle surchauffée, île en plein vide. Cent yacks arrachaient à la steppe les herbes anémiées par l'hiver. Le lendemain à quatre heures du matin, nous quittions le poêle et marchions sur un ruban dont les cartes certifiaient qu'il s'agissait du Mékong. « Montez quatre heures. À 5 100 mètres, il y a un cirque et la source », nous avait dit Tsetrin, le gardien. C'était donc cela, le fleuve des neuf dragons : un ruisseau gelé. La glace craquait. Nous allions sur la nougatine, comme des curistes précautionneux sur un canal glacé de Baden-Baden. Nous croisâmes une carcasse de yack, toilettée par des charognards. Les oiseaux déchiraient la viande, décollaient, se rabattaient. Jusqu'ici, j'avais toujours trouvé spectaculaire la dévoration des morts en vue de leur réincorporation. Mais ces cous rougis et ces furies de plumes atténuèrent mon envie qu'on forjetât un jour mon corps aux vautours. Quand on a vu une fois les oiseaux devenir fous de sang on se dit que finalement, un carré de chrysanthème dans un cimetière des Yvelines a son charme.

Nous montions lentement, je me forçais d'y croire : c'était le Mékong, le fleuve des larmes khmers, de la nostalgie jaune, des 317e sections et du Bouddha vivant, des Apsaras graciles et des fleurs de lotus ! Un ruisselet couleur de lune, encore vierge de tout crachat.

À 5 100 mètres, nous trouvâmes la stèle dont les idéogrammes chinois annonçaient probablement la naissance du fleuve.

Ici, dans un amphithéâtre de roches, sourdait l'alpha de la civilisation du riz, chapeauté d'un ciel gris. Sur près de cinq mille kilomètres de distance, le Mékong traverserait le Tibet, la Chine, l'Indochine jusqu'au delta où Marguerite eut un amant. D'aventures privées en ouvrages publics, les eaux baigneraient les travaux et les jours. Il y aurait des batailles. La source d'un grand fleuve recèle la question de l'Orient : pourquoi toute source doit-elle se ramifier ? Pourquoi la séparation ?

Pour l'instant, une nappe gelée cimentait des graviers. C'était la source, le Tao du Mékong, point zéro, futur roman. L'écoulement s'unifierait, ouvrant la voie dans la montagne. La douceur de l'air libérerait le débit, le filet se chargerait de vie : d'abord des animalcules puis des poissons de plus en plus voraces. Le fleuve pousserait. Un pêcheur y jetterait son filet, des villageois s'y abreuveraient, une usine verserait ses saletés : chez les hommes, tout finit dans un collecteur. L'altitude baisserait, l'orge pousserait. Plus bas, le thé, le blé, le riz enfin, et des fruits, un jour, au bout des branches. Des buffles se baigneraient. Parfois, un léopard croquerait un enfant dans les roseaux. On se consolerait vite, il en naissait beaucoup. On descendrait encore : des femmes puiseraient chaque jour une eau déjà chargée de bactéries, on commencerait à canaliser le lit. Les peaux fonceraient. Les filles sécheraient des draps orange sur les quais de pierres taillées et des adolescents plongeraient des tourelles, puis le courant ralentirait, les méandres se distendraient dans leurs propres alluvions, le fleuve rehausserait sa digue, l'horizon s'ouvrirait et ce serait la plaine irriguée, éclairée par les centrales de l'amont. Pendant les jours de marché, des barges se toucheraient bord à bord, des serpents nageraient entre les cadavres à demi calcinés, et les États se disputeraient les rives, devenues frontières. Des patrouilles intercepteraient les passeurs. Les affaires suivraient leur cours et enfin les eaux se mêleraient à la mer. Des touristes tout blancs nageraient dans les vagues. Sauraient-ils seulement que des panthères avaient un jour lapé ces eaux, du temps où elles appartenaient au ciel ?

Ce destin prenait naissance ici. Les bêtes traquées par Munier étaient nées d'une source elles aussi. Elles s'étaient séparées. La panthère des neiges procédait d'une ramification vieille de cinq millions d'années. Si la vie sur Terre était comparée à un fleuve, elle avait eu sa source, son lit, ses bras morts. Sa course n'était pas finie, nul ne connaissait le delta. Nous autres humains étions sortis d'une subdivision fort récente. Dans les planches des livres de biologie de mon enfance, on représentait les embranchements de l'Évolution par des graphiques en forme d'estuaires fluviaux. Toute source ignore de quoi elle est capable.

Nous restâmes sur les graviers pendant une heure. Puis, redescendîmes en glissant. Munier cherchait une bête. Pour lui, un paysage vide était un caveau. Heureusement, à 4 800 mètres, un loup se roulait dans un névé. Munier fut content.

Au campement où nous racontâmes la rencontre du loup, le berger nous renseigna sur les visites annuelles : une ou deux panthères dans l'hiver, et des loups tous les jours. Ce disant, il bourra tellement le poêle que nous nous endormîmes. Le sommeil emporta la vision de la source.

Dans la première soupe

Nous rentrions vers Yushu, par les croupes et par les monts, sans jamais quitter l'altitude des 4 000 mètres. Nous fûmes à la tombée du jour sur une piste menant à des sources d'eau chaude cachées dans les falaises. Deux loups passèrent dans les phares. Le faisceau releva le safran de leur fourrure – un éclair dans la nuit. Munier jaillit de la voiture. La vision des deux marlous dans le noir, trottant vers un hold-up, continuait à exciter mon ami. Il respirait l'air froid à pleines narines cherchant l'odeur fauve. Il avait vu des centaines de loups, en Abyssinie, en Europe, en Amérique. Il n'était pas rassasié.

— Tu ne sors pas de la voiture quand passe un homme, dis-je.

— L'homme repassera. Le loup, c'est rare.

— L'homme est un loup pour l'homme, dis-je.

— Si seulement, dit-il.

Nous avions rejoint les vasques. Nous montâmes le camp sur le revers d'une falaise et à dix heures du soir, par – 25 °C, nous clapotions dans l'eau brûlante, Marie, Munier et moi, masqués par la vapeur. Léo gardait le camp en contre-haut, dans les rafales. L'eau jaillissait sous un retrait de rocher. Il avait fallu se glisser sous le surplomb. Munier connaissait l'endroit pour y avoir joué au macaque japonais l'année passée. Il nous décrivit les singes de Nagano dans les sources chaudes, la fumée brouillant leurs gueules rouges, hérissant leurs toisons de stalactites.

Mais ce soir-là, nous ressemblions à des apparatchiks russes négociant au sauna les ressources de la région. Nous avions allumé les bons cigares cubains (Épicure n° 2) conservés dans des tubes d'aluminium. Notre peau prit la consistance du ventre des grenouilles et nos havanes celle de la guimauve. Les étoiles vibraient.

— On clapote dans la boue primordiale. Nous sommes les bactéries du début du monde, dis-je.

— Mieux lotis, tout de même, dit Marie.

— Les bactéries n'auraient jamais dû sortir de la marmite, dit Munier.

— Nous n'aurions pas eu le triple concerto de Beethoven, dis-je.

Les fossiles incrustés dans la voûte ne dataient pas des débuts du monde. Ils n'étaient qu'un épisode récent de l'aventure. La vie était née dans un mélange d'eau, de matière et de gaz, il y avait quatre milliards et demi d'années. Le *bios* avait projeté ses propositions dans tous les interstices, donnant, sans rapport apparent entre eux (sinon la volonté de se propager), le lichen, le rorqual, et nous.

La fumée des cigares caressait les fossiles. J'en connaissais les noms pour en avoir tenu collection dans mon enfance, entre huit et douze ans. Je les disais à voix haute car l'énumération scientifique fait office de poème : ammonites, crinoïdes, trilobites. Ces créatures avaient plus de cinq cents millions d'années. Elles avaient régné. Elles avaient eu leurs préoccupations : se défendre, se nourrir, perpétuer la lignée. Elles étaient minuscules et lointaines. Elles avaient disparu et nous autres humains qui régentions la Terre (depuis une date récente et pour un temps inconnu) les négligions. Leur vie avait pourtant constitué une étape sur la route de notre avènement. Soudain, des êtres animés s'étaient extirpés du bain. Quelques-uns – les plus aventuriers – s'étaient juchés sur une grève. Ils avaient avalé une goulée d'air. Et à cette inspiration, nous devions d'être là, hommes et bêtes de l'air libre.

Quitter ce bain ne fut pas le plus agréable moment de mon existence. Il fallut marcher à poil sur les algues tièdes, sauter dans mes bottes chinoises, enfiler l'énorme veste canadienne et regagner les tentes dans l'air à – 20 °C.

En bref, sortir de la soupe, ramper dans la nuit, trouver un abri : l'histoire de la vie.

Rentrer peut-être !

Le lendemain, nous roulions vers Yushu à travers le plateau. Le chauffeur fonçait sur la piste en marmottant des prières où il était question de lotus. Il semblait pressé de rentrer, peut-être de mourir. Le bourdonnement me berçait et par effet de mimétisme, je fredonnais le *Panta Rhei* d'Héraclite, « tout passe tout coule, tout s'efface », que je transformais, en un psaume de mon cru : « Tout meurt, tout renaît, tout revient pour périr, tout se nourrit de soi. » Nous approchions de la ville. Déjà, nous croisions des mendiants en haillons, rampant vers le temple. Ils pensaient comme Héraclite mais ils ne se félicitaient pas de cette fluctuation générale. Ils tâchaient d'acquérir des gratifications pour ne pas être réincarnés en chien ou pire, en touriste. Ils désiraient échapper à l'éternel recommencement. Circuler sans répit était leur malédiction. Le chauffeur avait soin de ralentir en arrivant à leur hauteur : pour ne point aggraver ses fautes il ne voulait pas écraser un pèlerin. Je regardais les cohortes par le carreau. Notre époque techniciste était devenue animale, c'est-à-dire mobile. En Occident, la pensée régnante de ce début de siècle 21 instituait en vertu le mouvement des hommes, la circulation des marchandises, la fluctuation des capitaux, la fluidité des idées. « Du balai ! » commandaient les instances du rond-point planétaire. Jusque-là, les civilisations avaient mûri selon le principe végétal. Il s'était agi de s'enraciner dans les siècles, de pomper les nutriments du territoire, de bâtir des piliers et de favoriser l'expansion de soi sous un soleil invariable en se protégeant de la plante voisine par des épines adéquates. Les modalités avaient changé : il fallait désormais bouger vite et sans cesse dans les savanes globales. « En marche, hommes de la terre ! Circulez ! Il n'y a plus grand-chose à voir ! »

En passant le dernier col avant Yushu, les freins lâchèrent. Au frein à main, le chauffeur négocia les virages et augmenta le débit de ses mantras. Par un étrange réflexe bouddhiste et morbide, il appuya sur l'accélérateur dès qu'il comprit que les freins ne répondaient plus. Et par l'heureuse influence de son fatalisme, je me pris à trouver cela logique. Qu'importait d'en finir en cette matinée de pureté ! Les montagnes étincelaient, des bêtes régnaient sur les crêtes et notre accident ne changerait rien à la circulation des dernières panthères.

La consolation du sauvage

Si je n'avais pas croisé la panthère, aurais-je été cruellement déçu ? Trois semaines dans l'ozone n'avaient pas suffi à tuer en moi l'Européen cartésien. Je préférais toujours la réalisation des rêves à la torpeur de l'espérance.

En cas d'échec, les philosophies de l'Orient cuites sur le plateau tibétain ou dans la fournaise gangétique m'auraient fourni une consolation par l'exercice du renoncement. Si la panthère n'était pas venue, je me serais félicité de son absence. C'était la méthode fataliste de Peter Matthiessen : voir dans leur propre dérobade la vanité des choses. Ainsi procède le renard de La Fontaine : il méprise les raisins quand il comprend leur inaccessibilité.

J'aurais pu m'en remettre à la divinité de la *Baghavad-Gita*. J'aurais suivi l'injonction de Krishna à Arjuna : considérer d'un même cœur le succès et l'échec. « La panthère est devant toi, réjouis-toi, et si elle n'est pas là, réjouis-toi tout autant », m'aurait-il murmuré. Ah, quel opium que la *Baghavad-Gita*, et comme Krishna avait raison de faire du monde une plaine sans relief battu par le vent de l'égalité d'âme, autre nom du sommeil !

Ou bien serais-je revenu au Tao. J'aurais considéré l'absence équivalant à la présence. Ne pas voir la panthère m'aurait été une manière de voir.

En dernier recours, il y aurait eu le Bouddha. Le Prince des jardins révélait que rien n'est douloureux comme l'attente. Il aurait suffi de me débarrasser du désir de surprendre un animal caracolant dans les rocailles.

L'Asie, inépuisable pharmacopée morale. L'Occident, lui aussi, possédait ses remèdes. L'un d'ordre chrétien, l'autre de facture contemporaine. Les catholiques cicatrisaient la souffrance par une tactique semi-narcissique et semi-christique. Elle consistait à se féliciter de sa déception : « Seigneur, si je n'ai pas vu la panthère c'est que je ne suis pas digne de la recevoir et je te remercie de m'avoir épargné la vanité de sa rencontre. » L'homme moderne, lui, disposait d'un viatique : la récrimination. Il suffisait de se considérer victime pour s'épargner l'aveu de l'échec. J'aurais pu me lamenter ainsi : « Munier a mal placé ses affûts, Marie faisait trop de bruit, mes parents m'ont rendu myope ! En outre, les riches ont flingué les panthères, pauvre de moi ! » Chercher des coupables occupait le temps et économisait l'introspection.

Mais je n'avais rien à consoler puisque j'avais croisé le beau visage de l'esprit des pierres. Son image, glissée sous mes paupières, vivait en moi. Quand je fermais les yeux, je voyais sa face de chat hautain, ses traits plissés vers un museau délicat et terrible. J'avais vu la panthère, j'avais volé le feu. Je portais en moi le tison.

J'avais appris que la patience était une vertu suprême, la plus élégante et la plus oubliée. Elle aidait à aimer le monde avant de prétendre le transformer. Elle invitait à s'asseoir devant la scène, à jouir du spectacle, fût-il un frémissement de feuille. La patience était la révérence de l'homme à ce qui était donné.

Quel attribut permettait-il de peindre un tableau, de composer une sonate ou un poème ? La patience. Elle procurait toujours sa récompense, pourvoyant dans la même fluctuation le risque de trouver le temps long en même temps que la méthode pour ne pas s'ennuyer.

Attendre était une prière. Quelque chose venait. Et si rien ne venait, c'était que nous n'avions pas su regarder.

La face cachée

Le monde était un coffre de bijoux. Les joyaux demeuraient rares, l'homme ayant fait main basse sur le trésor. Parfois, on tenait encore un brillant devant soi. Alors la Terre étincelait d'un éclat. Le cœur battait plus vite, l'esprit s'enrichissait d'une vision.

Les bêtes étaient passionnantes parce que invisibles. Je ne me faisais pas d'illusion : on ne pouvait percer leur mystère. Elles appartenaient aux origines dont la biologie nous avait éloignés. Notre humanité leur avait déclaré une guerre totale. L'éradication était presque finie. Nous n'avions rien à leur dire, elles se retiraient. Nous avions triomphé et bientôt, nous autres humains, nous serions seuls, à nous demander comment nous avions pu faire le ménage aussi vite.

Munier m'avait offert de soulever un coin du voile pour contempler l'errance des princes de la Terre. Les dernières panthères, chirous et hémiones survivaient traqués, réduits à se cacher. Apercevoir l'un d'eux, c'était contempler un très bel ordre disparu : le pacte antique des bêtes et des hommes – les unes vaquant à leur survie, les autres composant leurs poèmes et inventant des dieux. Pour une raison inexplicable,

Munier et moi éprouvions une nostalgie pour cette vieille allégeance. « Sombre fidélité pour les choses tombées[1] ».

La Terre avait été un musée sublime.

Par malheur, l'homme n'était pas conservateur.

L'affût commande de tenir son âme en haleine. L'exercice m'avait révélé un secret : on gagne toujours à augmenter les réglages de sa propre fréquence de réception. Jamais je n'avais vécu dans une vibration des sens aussi aiguisée que pendant ces semaines tibétaines. Une fois chez moi, je continuerais à regarder le monde de toutes mes forces, à en scruter les zones d'ombre. Peu importait qu'il n'y eût pas de panthère à l'ordre du jour. Se tenir à l'affût est une ligne de conduite. Ainsi la vie ne passe-t-elle pas l'air de rien. On peut tenir l'affût sous le tilleul en bas de chez soi, devant les nuages du ciel et même à la table de ses amis. Dans ce monde, il survient plus de choses qu'on ne le croit.

L'avion, ce grand véhicule. Celui du matin nous emmena à Chengdu. Léo lisait. Marie fixait Munier qui regardait par le hublot. L'amour ne signifiait donc pas regarder « dans la même direction ». Marie songeait à l'avenir, Munier faisait ses adieux aux panthères. Je pensais à mes absentes chéries. À chaque panthère apparue, elles m'avaient offert un éclat d'elles-mêmes.

Chengdu, quinze millions d'habitants, inconnue des Européens. Pour les Chinois, un bourg moyen. Pour nous, une matrice spermatique dans le genre des cauchemars de Philip K. Dick, avec ampoules électrisant les ruelles où des

1. Victor Hugo, *Les Châtiments.*

pièces de viande accrochées aux étals se reflètent dans les flaques.

À minuit, nous marchions dans une foule calme, homogène, ondulant en vagues lentes. Étrange vision pour moi, petit-bourgeois français : une masse civile et non mélangée marchait au pas, sans entraînement martial, sans que personne le lui ait ordonné.

Demain nous rentrions à Paris. Pour l'heure, une nuit à tuer. Nous convergions vers le parc du centre-ville. Munier cria :

— Là-haut !

Une chouette effraie fuyait vers le parc, les ailes frappées par les faisceaux. Même ici, Munier traquait les signaux sauvages. La complicité d'un homme avec le monde animal rend supportable le séjour dans les cimetières urbains. Je racontai à Marie et Léo l'histoire de ce naufragé polynésien, Tavae, qui dériva sur un canot pendant des mois dans l'océan Pacifique et contempla chaque jour le plancton recueilli dans un seau, allant jusqu'à tenir conversation avec les animalcules. L'exercice avait évité au naufragé le face-à-face avec lui-même, c'est-à-dire la dépression.

Regarder une bête, c'était coller l'œil à un judas magique. Derrière la porte, les arrière-mondes. Nul verbe pour les traduire, nul pinceau pour les peindre. Tout juste pouvait-on en capter un scintillement. William Blake dans *Proverbes de l'enfer* : « Ne comprends-tu donc pas que le moindre oiseau qui fend l'air est un immense monde de délices fermé à tes cinq sens ? » Si, William ! Munier et moi comprenions que nous ne comprenions pas. Cela suffisait à notre joie.

Parfois il n'était même pas besoin de voir les bêtes. La seule évocation de leur existence était le baume. En décrivant le spectacle des charges d'éléphants dans la savane africaine, les déportés des camps de la mort s'étaient soutenus moralement ainsi que le racontait Romain Gary au début des *Racines du ciel*.

Nous atteignîmes le parc. La fête foraine était réussie. Les manèges moulinaient, les haut-parleurs pulsaient, la vapeur des beignets enveloppait les clignotements. Même Pinocchio aurait été dégoûté. Les panneaux n'omettaient pas d'afficher la propagande du Parti. Le peuple chinois avait perdu sur les deux tableaux. Politiquement, il subissait la coercition socialiste. Économiquement, il tournait dans la lessiveuse capitaliste. Il était le dindon à deux têtes de la farce moderne, marteau et algorithme sur le fanion.

Quelle place restait-il aux chouettes dans un monde laser ? Comment reviendraient les panthères dans cette haine mondiale de la solitude et du silence, dernières joies des malheureux ?

Mais après tout, pourquoi ces angoisses ? Il y avait encore des tourniquets merveilleux, et de la crème glacée. De quoi se plaindre ? La foire continuait, pourquoi ne pas la rejoindre et qu'importaient les bêtes quand on avait la farandole ?

Munier nous implora de sortir du parc. Ce carnaval lui tapait sur les nerfs. Il les avait pourtant solides. En passant le portail, il pointa le ciel : « Regardez la lune ! » Elle était pleine. « C'est le dernier monde sauvage à portée de regard. Dans le parc on ne la voyait pas à cause des guirlandes. »

Il ne savait pas qu'un an plus tard les Chinois déposeraient un robot sur la face cachée.

Nous en avions fini avec la Terre.

L'univers allait à présent apprendre à connaître l'homme.

L'ombre gagnait.

Adieu panthères !

Les photographies de la faune tibétaine prises par Vincent Munier lors de ses nombreux séjours sur le haut plateau sont publiées dans l'album *Tibet minéral animal*, aux éditions Kobalann (avec des poèmes de Sylvain Tesson).

Œuvres de Sylvain Tesson (suite)

APHORISMES DANS LES HERBES ET AUTRES PROPOS DE LA NUIT, *Éditions des Équateurs*, 2011 (Pocket)

GÉOGRAPHIE DE L'INSTANT, *Éditions des Équateurs*, 2012 (Pocket)

CIEL MON MOUJIK ! : ET SI VOUS PARLIEZ RUSSE SANS LE SAVOIR ?, « Le goût des mots », *Seuil*, 2014 (Points)

BEREZINA, *Éditions Guérin*, 2015, prix des Hussards et prix littéraire de l'Armée de Terre – Erwan Bergot 2015, élu « Meilleur récit de voyage 2015 » par le magazine *Lire* (Folio n° 6105)

UNE TRÈS LÉGÈRE OSCILLATION : JOURNAL 2014 – 2017, *Éditions des Équateurs*, 2017 (Pocket)

UN ÉTÉ AVEC HOMÈRE, *Éditions des Équateurs*, 2018, prix littéraire Jacques Audiberti, 2018

NOTRE-DAME DE PARIS. Ô REINE DE DOULEUR, *Éditions des Équateurs*, 2019

Livres illustrés

CARNETS DE STEPPES, avec Priscilla Telmon, *Éditions Glénat*, 2002 (Pocket)

SOUS L'ÉTOILE DE LA LIBERTÉ, avec les photographies de Thomas Goisque, *Éditions Arthaud*, 2005 (J'ai lu)

L'OR NOIR DES STEPPES, avec les photographies de Thomas Goisque, *Éditions Arthaud*, 2007 (J'ai lu)

D'OMBRE ET DE POUSSIÈRE : LES SOLDATS FRANÇAIS EN AFGHANISTAN, avec les photographies de Thomas Goisque, *Albin Michel*, 2013

EN AVANT, CALME ET FOU : UNE ESTHÉTIQUE DE LA BÉCANE, avec les photographies de Thomas Goisque, *Albin Michel*, 2017

Composition Nord Compo
Achevé d'imprimer par Normandie Roto Impression s.a.s.
61250 à Lonrai en novembre 2019.
Dépôt légal : novembre 2019.
Premier dépôt légal : septembre 2019
Numéro d'imprimeur : 1905521

ISBN : 978-2-07-282232-2 / Imprimé en France.

365791